LES PETITS
DE DÉCEMBRE

Fiction & Cie

Kaouther Adimi

LES PETITS DE DÉCEMBRE

roman

Éditions du Seuil
57, *rue Gaston-Tessier, Paris* XIXe

COLLECTION
« Fiction & Cie »
fondée par Denis Roche
dirigée par Bernard Comment

Pour la citation en page d'exergue :
Mohammed Dib, *L'Enfant-jazz*
© Éditions de la Différence, 1998

ISBN 978-2-02-143080-6

© Éditions du Seuil, août 2019,
à l'exception de la langue française en Algérie
et de la langue arabe

seuil.com
www.fictionetcie

À Koteb, un des petits.

« L'enfant cherchait.
Une route à peine tracée.
Il y allait à tâtons.

Le chemin se perdait.
Noyé sous la pluie.
Et tombait la pluie. »

Mohammed Dib,
L'Enfant-jazz

PLAN DE LA CITÉ DU 11-DÉCEMBRE-1960
À DELY BRAHIM, ALGER

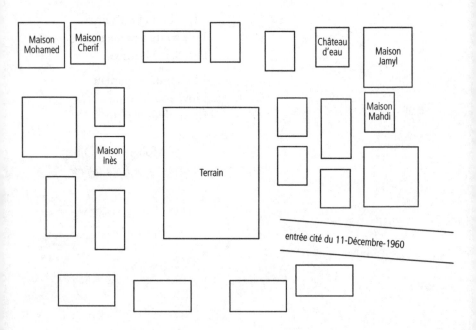

1

Alger en février. Ses bourrasques de vent, sa pluie fine, ses températures qui chutent. La ville se noie et noie avec elle ses habitants. On peine à marcher à cause de la boue. On hésite avant de sortir, on n'est jamais assez couvert. Les bus sont gelés, les portes des salles de classe claquent à cause des fenêtres brisées, les draps étendus sur les terrasses sont imbibés l'eau.

Le ciel aux nuages gris et lourds, gorgés de pluie qui bientôt inondera certaines villes du pays. Les arbres aux branches qui craquent, tant et tant qu'ils effraient les passants. Les oiseaux qu'on n'entend plus. Les enfants rentrent trempés de l'école, leurs petites chaussures maculées de boue.

Dans le centre-ville, les voitures circulent difficilement. Des policiers habillés de bleu ont revêtu des cirés transparents. Ils tentent de mettre un peu d'ordre dans la circulation. Servent-ils réellement à quelque chose ? Sont-ils plus utiles qu'un vulgaire feu tricolore ? La réponse est sans appel et cent pour cent des Algériens considèrent qu'ils sont bien plus souvent à l'origine de l'atroce circulation qui règne dans la ville blanche que de sa régulation. Les policiers eux-mêmes le savent, ce qui les rend facilement agressifs. Être muté à la circulation est perçu comme une punition, voire une humiliation. Tout petit chef à la moindre contrariété peut imposer à son subalterne d'aller passer plusieurs semaines posté à un rond-point en plein hiver ou sous un soleil de plomb au cœur de l'été.

Un immense bouchon s'est formé à côté du ravin de la femme sauvage. Les automobilistes enragent. Des insultes fusent. On avance millimètre par millimètre. Sur les sièges arrière, les enfants tentent d'apercevoir à travers les vitres embuées cette fameuse femme sauvage qui les fascine. Il paraît qu'au XIXᵉ siècle, elle vivait dans le coin, avec ses deux enfants qu'elle élevait seule depuis le décès de son mari. Un jour où il faisait particulièrement beau, la petite famille alla pique-niquer dans les bois jouxtant Oued Kniss. Les enfants adoraient s'y balader. Ils savaient qu'ils n'avaient pas le droit de s'approcher du ravin très dangereux mais c'étaient des enfants peu obéissants qui aimaient courir et se chamailler. La mère, épuisée, fit une petite sieste sous un arbre. À son réveil, plus d'enfants !

Les voisins, les amis, les gendarmes fouillèrent les environs. À la nuit tombée, on suspendit les recherches.

La mère refusa de rentrer chez elle, continua de hurler les prénoms de ses chers petits. Elle devint folle. On ne put jamais la convaincre de quitter la forêt. On raconte que certains soirs, on peut encore l'apercevoir, aux abords du ravin. Ceux qui l'ont déjà vue jurent qu'elle erre vêtue de haillons dans le quartier du Ruisseau. Il faut bien regarder et ne s'approcher qu'à pas furtifs, car si elle vous aperçoit, ou si elle entend le moindre bruit, elle court se réfugier derrière de touffus buissons.

Les gouttes de pluie qui font la course sur les vitres des voitures brouillent la vue et même en écarquillant les yeux, les enfants n'arrivent pas à distinguer la silhouette de la femme sauvage. Les routes sont un cauchemar. Les klaxons résonnent dans l'indifférence générale. Les voitures circulent difficilement, et les conducteurs, agacés, tendus, fatigués, finissent par rouler sur les trottoirs ou par emprunter les voies de secours.

De temps en temps, un policier utilise son sifflet en faisant de grands gestes avec ses bras, «*passez! passez! allez!*», ou s'il est mal luné, si la tête du conducteur ou de son passager ne lui revient pas, il fait un seul et bref signe du bras, invitant le malheureux à se garer sur le bas-côté, ce qui crée encore plus d'embouteillages. Débute alors un long marchandage entre le conducteur et le policier qui bien souvent se termine par le retrait du permis de conduire. Si le pauvre diable a un membre de sa famille dans la police, la gendarmerie, l'armée ou qui simplement travaille à la mairie, il peut espérer le récupérer rapidement. Dans le cas contraire, sa vie devient un enfer car il est difficile de se déplacer dans Alger sans voiture.

En ce mois de février 2016, dans tout le pays, on espère qu'il n'y aura pas d'inondations dévastatrices, pas de morts. Que les récoltes ne vont pas finir noyées. La pluie est une bénédiction de Dieu, nul ne l'ignore et tout le monde est d'accord avec cela mais au fil des jours, cette bénédiction se fait de plus en plus longue, lourde et gênante.

Dans certaines régions, la pluie a inondé des villages entiers. Les rues sont jonchées de branches, ferrailles, tôles, déchets. Les bus qui relient habituellement les hameaux isolés aux villes les plus proches sont forcés de stopper leur liaison pour un temps indéterminé, privant les adultes de leur travail et les enfants de leur école. Dans le centre du pays, la télévision a filmé et retransmis des images de voitures emportées par des torrents d'eau et de boue. Les gens se plaignent que l'État n'envoie pas de secours et que si peu de pluie puisse paralyser l'ensemble d'un pays, mais personne n'ose critiquer trop vivement la pluie. Elle est l'œuvre de Dieu.

On a quand même un peu peur. On n'oublie pas qu'en 2001, des inondations ont détruit le quartier de

Bab el-Oued, causé près de mille morts et coûté des millions de dinars. Certains corps n'ont jamais été retrouvés et des enfants devenus de jeunes adultes continuent d'espérer que leur mère ou leur père finira par rentrer, même, après autant d'années.

À défaut de tombes, des centaines d'histoires.

À la cité du 11-Décembre de Dely Brahim, plusieurs hommes déposent de grands cartons dépliés devant les maisons pour créer un semblant de passage sec. La veille, à cause de la boue, Adila, une ancienne moudjahida bien connue du quartier, est tombée et ne se déplace plus qu'appuyée sur une canne. La mairie, malgré de nombreuses réclamations, refuse de goudronner les petites rues qui mènent aux maisons. Seules celles conduisant aux demeures des généraux sont propres et régulièrement entretenues.

La cité du 11-Décembre existe depuis 1987. Elle comprenait à l'origine 111 parcelles sur lesquelles, pour certaines, étaient déjà construites d'anciennes maisons coloniales. Il est assez facile de les distinguer : elles ne font pas plus d'un étage alors que les constructions modernes, elles, s'élèvent sur deux ou trois niveaux.

Tous les lots ont été vendus à des militaires sans pour autant que cette cité ne soit désignée comme une « cité militaire ». À ces 111 parcelles, on en ajouta 74 nouvelles par la suite. Au centre de cet ensemble, face à la maison d'Adila, il y a un terrain grand d'environ un hectare et demi en dessous duquel passaient, jusqu'en 2010, les conduites de gaz.

Quels étaient les plans de l'urbaniste, de l'architecte ou du fonctionnaire de l'époque pour ce grand terrain ? Ils imaginaient sans doute y planter des arbres, fabriquer quelques aires de jeux, installer des bancs et aménager des pistes pour que les retraités puissent jouer à la pétanque. Rien ne fut fait, on le laissa ainsi, à l'abandon. Tout comme on ne goudronna pas les petites routes qui mènent à la centaine de maisons. La ville refusa de payer, arguant que la Cité avait été commandée par le ministère de la Défense, et ce dernier ne prit jamais la peine de répondre aux quelques demandes des militaires qui, étant il est vrai habitués à la discipline et au respect de l'institution, n'écrivirent que des courriers très polis, peu insistants et bien sûr jamais menaçants.

Le terrain resta inoccupé pendant quelques années. On pouvait parfois y apercevoir des chiens errants. Aucune trace de petites filles jouant à la corde à sauter ou à l'élastique, pas de balançoires, pas de vieux retraités lançant des boules de pétanque. Juste un terrain sale, boueux les jours de pluie, extrêmement sec le reste de l'année, plein de pierres et de roches, de broussailles poussées par les vents qui peuvent être puissants en hiver, et quelques poubelles abandonnées.

Un jour, il y a vingt ans peut-être, un groupe d'enfants entreprit de le nettoyer, de bricoler des buts de fortune, de délimiter des zones et de créer ainsi un terrain de football. Et depuis vingt ans maintenant (ou peut-être un peu moins), les enfants et les jeunes de la Cité mais aussi de tout le quartier et de ses environs ont disputé des milliers de parties de foot. Oh, il ne s'agit pas d'un terrain de football comme on peut l'imaginer. Oubliez le gazon vert, le tracé parfait, les filets de but. À première vue, on dirait un terrain vague. À première vue seulement.

2

Le 2 février 2016, sur le grand terrain, cité du 11-Décembre-1960, à Dely Brahim, deux garçons d'une dizaine d'années, Jamyl et Mahdi, courent sous la pluie. Ils se font des passes en tentant de ne pas déraper. L'un porte un grand tee-shirt de la Juventus alors que l'autre a enfilé un maillot de l'équipe algérienne sur son gros col roulé qui le démange mais que sa mère l'a forcé à porter. Ils arrivent jusqu'à l'extrémité du terrain où Inès, une fillette âgée de onze ans, vêtue d'un immense tee-shirt blanc marqué d'un logo de l'armée algérienne, garde un but de fortune délimité par des briques et des planches. Un vieux drap blanc a été tendu pour retenir le ballon. Et de loin, avec le vent qui le fait gondoler, on dirait un grand fantôme.

Inès entend vaguement Jamyl et Mahdi crier quelque chose mais elle est trop loin pour comprendre quoi que ce soit et avec le bruit du vent tous les sons sont déformés.

Les trois enfants sont heureux de cette pluie qui tombe sans discontinuer depuis la semaine dernière. Grâce à elle, le terrain s'est vidé des jeunes qui l'accaparent habituellement en organisant d'immenses tournois sur plusieurs jours. La pluie les a momentanément chassés. Ils restent chez eux, au chaud, face à leur écran d'ordinateur. Inès, Jamyl et Mahdi n'ont peur ni de la pluie, ni de la boue.

Lorsqu'ils jouent, ils imaginent qu'ils sont sur un véritable terrain de football avec du gazon vert et des buts comme ceux qu'ils voient dans les matchs à la télévision. Ils ne se soucient pas des adultes encombrés de leurs cartons qui les regardent en souriant. Certains les encouragent à courir plus vite, légèrement moqueurs. Les enfants n'y prêtent pas attention, ils sont entourés d'une foule en délire. On scande leurs prénoms : « Mah-di ! Mah-di ! Ja-myl ! Ja-myl ! I-nès ! I-nès ! » Le ballon au pied, Mahdi court, traverse la moitié du stade, se sent voler. Il adresse une passe à Jamyl qui récupère la balle et poursuit en direction du but. Il risque de tomber à tout moment car la boue devient de plus en plus glissante, mais réussit à maintenir son équilibre et pousse un petit cri de satisfaction en arrivant devant le but.

Le vent se lève, les enfants sont en nage, entièrement absorbés par leur jeu.

Jamyl fait une halte à deux mètres d'Inès qui courbe le dos et ouvre les bras. Il hésite. Inès, la frange plaquée en arrière avec une barrette, hausse les sourcils. La pluie crépite. Mahdi hurle : « Vas-y, tu vas marquer ! » Jamyl tente de faire abstraction du bruit des gouttes d'eau, du *splatch* que font ses baskets sur la boue, des encouragements de son ami, du visage tendu et rouge d'Inès, il ferme les yeux, les rouvre et enfin tire. Dans les gradins, les spectateurs imaginaires se lèvent en retenant leur souffle. Mahdi lance un grand cri. Inès plonge et attrape le ballon au vol avant de tomber à genoux. Elle se relève, fait une pirouette puis le V de la victoire avec ses doigts. Un grand sourire illumine son visage brun.

– Et zut ! peste Jamyl.

Dans les gradins que les enfants imaginent, la foule en délire hurle : « I-nès ! I-nès ! I-nès ! » Gros plan de la caméra sur elle qui serre fort le ballon contre sa poitrine.

Il est 18 heures, la pluie cesse enfin de tomber. Il fait déjà nuit.

Les enfants se rendent chez Inès. Pour cela, il leur suffit de sortir du terrain et de traverser une petite route. Ils poussent le portail en fer qui donne sur le jardin et tombent sur Yasmine et Adila, la mère et la grand-mère d'Inès, toutes les deux assises devant la porte en bois de la maison, sous un porche qui les abrite de la pluie. La clope à la main pour Yasmine, une tasse de thé pour

Adila, une robe de chambre matelassée pour chacune. Les trois enfants nettoient leurs baskets sales dans la cour pendant que les deux femmes les interrogent gaiement sur leur match. Inès raconte comment elle a empêché un but : « J'étais certaine que Jamyl allait tirer sur la droite, je ne sais pas pourquoi, j'avais ce pressentiment et je penchais déjà un peu sur le côté mais je me suis aperçue à la dernière minute qu'il lorgnait vers la gauche, et au moment où il a tiré, j'ai réussi à me déplacer et à attraper le ballon. Ils étaient verts tous les deux ! »

« On n'était pas verts ! » protestent en chœur Jamyl et Mahdi. Les femmes rient et applaudissent Inès. Adila éternue, c'est le signe qu'elle doit rentrer. Yasmine écrase sa cigarette dans le petit pot devant la porte et suit sa mère.

À présent, Mahdi se moque de son copain :

— Jamyl, tu faisais tellement la tête quand tu as vu qu'Inès avait rattrapé le ballon.

— C'est faux ! Et puis, je n'ai même pas mis toute ma force dans ce tir.

— Tu parles, lui répond Inès, tu voulais marquer, tu avais la tête toute rouge, en plus, tu as fermé les yeux juste avant, tu faisais quoi ? Tu priais ?

— Oh la ferme, toi !

Dans le salon, Adila allume la télévision et regarde comme tous les soirs les informations sur Canal Algérie. La présentatrice, une grande blonde aux lèvres très rouges, parle de la livraison prochaine d'une nouvelle cité de logements sociaux en bordure de la ville. Elle annonce avec un grand sourire que plusieurs milliers de familles seront bientôt relogées dans des appartements d'un haut standing. Adila peste :

– Et on en parle du casse-tête que ce sera pour aller travailler sans voiture ni transports en commun fiables ? Vous avez mangé le pays et vous dispersez maintenant des miettes ! Bande d'escrocs !

Depuis la cuisine où la fenêtre est restée ouverte, on entend la pluie qui recommence à crépiter. Tous ces bruits sont plutôt rassurants – pas comme le silence qui étrangement peut être très bruyant, pense Yasmine. C'était idiot bien sûr d'avoir peur ainsi, tout le temps. Yasmine le sait et n'en parle à personne.

Lorsqu'elle rentre le soir elle redoute toujours de trouver la maison vide. Malgré son âge, sa mère sort souvent. Elle a créé il y a deux ans une association qui vient en aide aux femmes victimes de violences conjugales ou familiales. Sa fille quant à elle, lorsqu'elle n'est pas à l'école, assiste à tous les matchs de la cité, assise sur le bord du terrain.

Après avoir ouvert la porte, Yasmine se dépêche de tâtonner contre le mur, dans l'obscurité, à la recherche de l'interrupteur sur lequel elle appuie alors très vite pour faire fuir les ténèbres, les mauvais esprits ou les monstres. Pendant les quelques secondes qui s'écoulent entre le moment où elle rentre et celui où elle éclaire la pièce, elle a l'impression d'entendre des chuchotements et pourrait jurer que d'horribles choses vivantes sont tapies dans les moindres recoins de la maison, sous les tables, sous les chaises, dans la salle de bains et qu'elles s'apprêtent à ramper vers elle. La lumière fait fuir tous ces étranges êtres qui filent à l'étage pour se cacher sous les lits. Elle imagine parfois que la lumière refuse de s'allumer, que la porte claque derrière elle et que les chuchotements s'amplifient, foncent vers elle et la dévorent. Alors, son cœur bat fort, elle sent ses cheveux se dresser sur la tête et si elle n'avait pas encore plus peur du ridicule que de ces monstres invisibles, elle s'enfuirait en hurlant.

La vieille folle qui habite la maison d'à côté, la vieille édentée aux cheveux rouges tressés en couronne autour de la tête, lorsqu'elle croise Yasmine, ricane : « Une maison de femmes, ça ne peut qu'attirer les mauvais esprits ! Une maison de femmes, ça ne peut qu'attirer les mauvais esprits ! Hahaha ! »

Bien sûr, sa famille ignore tout des frayeurs de Yasmine. Qu'en penserait Inès, sa fille de onze ans, si elle apprenait que sa mère a peur de monstres tapis sous les meubles et qu'elle ne peut pas rentrer dans la maison sans allumer la lumière ? Elle qui n'hésite pas à aller chercher un verre d'eau au milieu de la nuit. Et que dirait Adila, sa mère, qui même pas majeure avait déjà rejoint secrètement le FLN, luttait pour l'indépendance de l'Algérie et n'hésitait pas à braver le couvre-feu ?

Les éclats de voix des enfants la font sortir de ses pensées. Ils se disent au revoir, rient, chuchotent quelques secrets avant de rire de nouveau. Ces trois-là se connaissent depuis leur première année d'école. Yasmine est heureuse que sa fille ait des amis aussi proches. Elle, petite, était entourée de pimbêches sottes et prétentieuses.

Leurs baskets bien propres désormais, les garçons font très attention et marchent délicatement sur les cartons posés par les adultes plus tôt dans la journée. Ils savent que s'ils rentrent chez eux les chaussures propres, on les laissera jouer dehors autant qu'ils le souhaitent.

Inès rejoint sa mère dans la cuisine pour l'aider à préparer le dîner. Yasmine s'empare d'une poêle posée sur une étagère pendant que sa fille sort la salade du réfrigérateur.

Yasmine allume la radio et tourne plusieurs boutons avant de trouver du jazz. Elle monte le volume. Mère et fille se dandinent en riant. L'ampoule de la cuisine vrille quelques instants. Yasmine pâlit mais ne dit rien et patiente. La lumière cesse de trembler. La jeune femme peut se détendre. Adila est toujours face à la télévision. Elle grommelle, marmonne, s'agace en prenant des notes dans un carnet noir qu'elle traîne avec elle depuis quelques semaines. Dans un coin de la cuisine, le chardonneret de la famille attrape des graines dans sa mangeoire et les croque en observant les deux danseuses.

À quelques rues de là, Jamyl dîne avec ses grands-parents, un général à la retraite et sa femme, chez qui il habite depuis la mort de son père dans un attentat à la bombe en 2007. Sa mère n'avait pas réussi à obtenir la garde de son fils, alors âgé d'à peine un an. Le grand-père, fou de douleur, souhaitait avoir son petit-fils auprès de lui. Il n'eut qu'à passer un coup de fil et le système tout entier, composé de juges, de politiques, de militaires, d'hommes d'affaires, cette étrange machine qui regroupe des milliers d'hommes à tous les niveaux de responsabilité du pays se mit en marche pour protéger les intérêts du général. Et c'est ainsi que Jamyl, encore bébé, s'installa dans la maison de ses grands-parents, ne voyant plus sa mère, depuis, que deux ou trois fois par an sous la surveillance du chauffeur.

De son côté, Mahdi avale une soupe à la tomate à côté de son père assis dans un fauteuil roulant. Il a perdu ses deux jambes en novembre 1999. Une mine posée par des terroristes à Baraki, un quartier au sud-est d'Alger. Il venait à peine de se marier et avait une trentaine d'années quand la bombe explosa à quelques centimètres de lui. Son épouse, l'une des rares femmes militaires, se trouvait à l'hôpital de l'armée où elle accompagnait un collègue blessé par balle lorsqu'elle apprit que son mari venait d'être admis. En dessous du genou, plus rien.

En ce 2 février 2016, les trois enfants se couchent à 21 heures précises, comme tous les soirs.

3

Comment ça s'est passé ? demanderont les jeunes du quartier qui n'étaient pas présents au moment des faits. Youcef, âgé d'une vingtaine d'années, racontera alors dans les moindres détails la matinée du mercredi 3 février 2016.

C'était à nouveau un jour pluvieux, il était environ 10 heures du matin. Une grande voiture noire aux vitres teintées s'est arrêtée devant le terrain vague de la cité du 11-Décembre à Dely Brahim. La pluie tombait depuis l'aube et formait comme un grillage. Le chauffeur descendit rapidement, deux parapluies ouverts à la main, et les tendit aux occupants qui sortirent du véhicule.

Le premier, le général Saïd, était un homme de petite taille, avec une moustache bien taillée, il portait des lunettes à monture carrée et aux verres fumés. Il avait des cheveux raides, noirs, quoique déjà grisonnants par endroits, coiffés en arrière avec une raie sur le côté. Youcef ajoutera qu'il dégageait quelque chose de froid, de difficile à décrire. Il bredouillera :

– Vous savez, comme quand on voit un serpent, pas un gros, pas un boa ou un truc comme ça, mais un tout petit qui vous fixe d'une telle manière que vous êtes paralysé de peur et que vous avez la chair de poule.

Les autres jeunes présents ce matin-là approuvent vivement de la tête.

– Un homme effrayant, ajoutera un jeune.

Le deuxième, le général Athmane, était immense, avec un crâne dégarni et des sourcils broussailleux. Il était rasé de très près.

C'était le premier militaire sans moustache que Youcef voyait. Il affichait un petit sourire narquois et même au milieu de la bagarre, il continuait de sourire. Youcef terminera sa description en ajoutant que les généraux devaient avoir presque soixante-dix ans, qu'ils étaient dans une sacrée forme malgré leur âge et qu'ils portaient tous les deux un costume sombre et un pardessus en laine noire.

Après leur avoir tendu les parapluies, le chauffeur se remit derrière son volant sans plus bouger. Les deux hommes allèrent sur le terrain. Ils marchèrent dessus, sans se presser, comme s'ils faisaient une balade. Au bout de quelques pas, ils s'arrêtèrent et sortirent des plans de leurs poches.

– On fumait un peu plus loin de là, sous le porche d'une maison. On les regardait parce qu'ils étaient bizarres, plantés là, dans la boue, sous la pluie, poursuivit Youcef.

Aucun des deux généraux ne remarqua Adila, l'ancienne moudjahida, qui les observait depuis la fenêtre de sa maison. Elle passa rapidement son manteau sur sa robe, mit ses chaussures sans prendre la peine d'enfiler des collants ou des chaussettes, se saisit de sa canne et vite, vite, descendit les quelques marches de sa vieille maison, ouvrit la porte en bois, descendit encore les marches, poussa la porte en fer qu'elle ne fermait jamais à clé et s'approcha en claudiquant des deux généraux, les pieds enfoncés dans la terre mouillée. Sa jambe droite lui faisait très mal depuis qu'elle était tombée devant chez elle.

Adila était une petite femme aux cheveux bruns, très courts. Pendant la guerre d'Algérie, elle avait combattu les Français, les armes à la main, et elle a continué à militer pendant les années de terrorisme. Les enfants du terrain la connaissent bien, elle les encourage souvent depuis sa fenêtre et leur rend bien volontiers leur ballon lorsqu'ils l'envoient derrière le mur de son jardin.

– Bonjour messieurs.

Les généraux répondent à son salut avec un grand sourire et un chaleureux « *salam* » :

– Je suis le général Athmane et voici mon grand ami, le général Saïd.

– Je suis Adila.

Le général Athmane lui tend son parapluie :

– Tenez madame, prenez mon parapluie, vous allez attraper froid.

– Non merci, je n'ai pas peur d'un peu d'eau mais vous, vous êtes en train de salir vos belles chaussures. Pourquoi rester ici ?

Le général Saïd lui sourit. Il est si petit qu'il la dépasse d'à peine quelques centimètres. Adila a déjà entendu parler de lui. La moitié des histoires qui circulent à son sujet démarrent avec ce sourire froid.

– Nous voulions voir notre terrain. Les travaux démarrent dans quelques mois. C'est pour ça que nous sommes là et avons apporté les plans. Je suis heureux de pouvoir vous compter bientôt comme voisine, madame Adila. Je suis l'un de vos grands admirateurs. Vous avez tant fait pour notre pays.

Un ricanement les fait sursauter tous les trois. La vieille voisine aux cheveux rouges s'est approchée d'eux sans bruit. Sa robe jaune trempée par la pluie moule son corps, révélant la forme de ses seins et de ses fesses. Elle pointe du doigt les généraux et leur crie :

– Ils ne veulent pas de vous ! Ils ne veulent pas de vous ici !

Adila se dépêche de l'entraîner loin du terrain. Youcef et ses deux amis la voient arriver vers eux. Ils jettent leur cigarette qu'ils écrasent sous le pied. La folle la suit, toujours en ricanant :

— Ils vont vous le prendre, ils vont tout prendre ! Il n'y aura plus rien ici ! Tout, absolument tout ! Vous verrez, ils vont nous gober !

— Et qu'est-ce qui s'est passé ? demandèrent de nouveau les jeunes à Youcef.

— Ben, on y est allés quoi ! Tous les trois. Et ça a vite dégénéré.

L'un des deux jeunes présents pendant la bagarre acquiesce : « On a dû se battre contre eux. Ils nous provoquaient. »

L'autre jeune ajoute :

— Et ce trouillard de chauffeur a appelé la gendarmerie. Du coup, Youcef nous a conseillé de fuir pendant que lui et la moudjahida Adila continuaient de taper sur les généraux.

— Je ne voulais pas que les gendarmes vous attrapent ! Vous n'êtes pas de la Cité. J'avais peur que vous ayez des problèmes à cause de notre terrain. Et ils auraient pu causer des soucis à vos parents.

— À toi aussi, ils peuvent causer du tort.

Youcef haussa les épaules.

4

Comment ça s'est passé ? demanderont les militaires
retraités, le soir du mardi 3 février, à leurs amis, les colonels Mohamed et Cherif qui avaient assisté à la bagarre
entre les généraux et les jeunes. Tous ces hommes réunis
aux abords du stade sont très gradés, lieutenant-colonel
ou colonel. La soixantaine, ils se nomment eux-mêmes
« de jeunes retraités » et attendent patiemment que leur
tour à la tête du pays vienne. L'armée, ils l'ont quittée
dès qu'ils ont pu, après y avoir passé une trentaine
d'années. La plupart se sont engagés dès le baccalauréat
en poche pour pouvoir financer leurs années à l'université et participer à la construction du pays. Dans les
années soixante-dix, l'armée algérienne proposait aux
jeunes de leur verser un salaire mensuel pendant toute
la durée de leurs études en échange de vingt-cinq ans
dans ses rangs sans possibilité de démissionner. Une fois
leur retraite prise, ils ont tout de suite recommencé à

travailler. Dans les affaires, dans des universités ou en créant des boîtes de conseil.

En ce mardi soir de février, ils sont une demi-douzaine réunis autour de Mohamed et Cherif. Tous trépignent d'impatience, sentant la bonne histoire, déjà un peu moqueurs, voulant un maximum de détails. Ils pressent Mohamed et Cherif comme des enfants qui réclament un conte avant de dormir.

Les deux hommes ne se font pas prier longtemps.

– On a tout de suite su que c'étaient des généraux même si nous étions trop loin pour les reconnaître. Voiture blindée, chauffeur qui leur tendait des parapluies ouverts, vous voyez le genre, expliquera Mohamed.

– Les signes habituels, précisera Cherif.

Mohamed et Cherif sont de vieux amis. Ils se sont rencontrés au lycée de Constantine où ils étaient internes. Ils sont partis ensemble à Alger pour intégrer l'université, ont signé un contrat avec l'armée le même jour, l'ont fêté ensemble le soir même, se sont mariés à quelques mois d'intervalle et ont tous les deux pris leur retraite avec le grade de colonel, il y a une dizaine d'années.

Désormais, ils enseignent à l'université quelques heures par semaine et se retrouvent chaque jour pour se balader dans le quartier. Ensemble, ils refont le monde, se rappellent leur enfance misérable dans des villages de l'est du pays, leur engagement au sein de l'armée, les années à combattre le terrorisme pendant la décennie noire, la bureaucratie de la grande muette, les petites humiliations des chefs, les jalousies de certains collègues moins diplômés qu'eux, tous les hommes perdus au combat, le froid dans les casernes durant l'instruction militaire, les privations, l'ascension, lente certes, mais qui a fini par arriver. Finalement, ils ont quitté l'armée avec l'un des grades les plus élevés et il n'est pas rare qu'ils mettent de côté les histoires tristes pour se remémorer les blagues de régiment, la bande de copains, la fin du terrorisme aussi, la fin du terrorisme surtout.

Si Mohamed a pris sa retraite de lui-même dès qu'il eut terminé la construction de sa maison, ce qui lui prit plus de vingt-cinq ans, Cherif, lui, a beaucoup hésité avant de faire sa demande, alors même qu'il avait atteint le nombre d'années réglementaire et était libre de s'en aller. Quelques mois après son départ, Mohamed avait appelé son ami pour le convaincre qu'il était temps pour lui aussi de rejoindre la vie civile :

– Si tu attends trop longtemps, l'armée va t'imposer un départ et ce sera inscrit sur tes papiers.

– Je sais, mais je ne suis pas prêt.

– Moi c'est écrit « a pris sa retraite à sa demande ». Je suis libre, pas comme ces militaires qui se font jeter et passent leurs journées à traîner au Cercle de l'armée, complètement déprimés.

– Je ne finirai jamais comme ça !

– On se moque de ceux qui ne partent pas d'eux-mêmes et je ne veux pas que ça t'arrive. N'attends pas trop longtemps ou ils vont finir par vouloir t'humilier. Tu sais comment ça se passera ensuite ?

– Oui… ils m'enverront un courrier un matin pour m'annoncer que je dois préparer mes cartons, rendre mon badge, renoncer au chauffeur et quitter mon logement de fonction dans un délai de trois mois.

– Exactement et en trois mois, tu devras t'organiser, trouver une maison, un autre travail parce que ta retraite ne te suffira pas, tout ça…

– Je sais mais ça fait trente ans que je suis dans l'armée, qu'est-ce que je ferai de mes journées dans le civil ?

– Tu sais, Cherif, j'en connais qui comme toi vivaient dans leur logement de fonction et se sont retrouvés mis à la retraite du jour au lendemain avec obligation de s'en aller très vite. Il faut que tu te bouges. Il y a une maison à vendre à Dely Brahim, juste à côté de la mienne, l'homme est mort, sa femme a besoin d'argent rapidement et veut la céder au plus vite.

– Je ne sais pas si j'ai les moyens de vivre à Dely Brahim.

– Emprunte à quelqu'un, tu rembourseras. Je vais te mettre en contact avec cette veuve, elle est un peu déprimée et très seule, ses enfants habitent au Canada, ils ne sont même pas rentrés pour l'enterrement de leur père! Elle ne sait pas ce que vaut réellement sa maison, je suis sûr que tu pourras l'avoir pour un bon prix. Et dans le civil, il y a plein d'opportunités pour de jeunes retraités de l'armée comme nous, parfaitement bilingues, diplômés et sérieux. On trouve du travail comme ça!

Et Cherif demanda sa mise en retraite, rejoignant Mohamed à Dely Brahim.

Dès qu'ils voulaient parler de politique ou critiquer le régime, ils sortaient et marchaient, faisant des allers-retours dans le quartier. Ils se savaient sur écoute, surveillés, suivis. Il arrivait qu'ils repèrent la voiture d'un gars de la Sûreté, garée en face de chez eux. Ils le saluaient d'ailleurs à chaque fois. Et toujours le pauvre gars répondait, gêné, à peine ennuyé d'avoir été repéré. Un jour, Mohamed lui proposa en riant :

– Si tu veux, je te donne une copie de mon agenda pour que ce soit plus facile pour toi de me suivre lorsque je me déplace. Je n'ai rien à cacher! Tu le diras à tes chefs.

Depuis le retour à la vie civile, Mohamed et Cherif profitent d'une liberté de ton qui leur a manqué pendant toutes ces années dans l'armée. Ils ont serré les dents, gravi les échelons, atteint des grades importants, persuadés qu'ils gardaient tout de même au fond d'eux leur révolte d'adolescents et que s'ils protégeaient le système, ils n'en faisaient pas vraiment partie. Une fois à la retraite, installés dans leurs maisons de la cité du 11-Décembre à Dely Brahim, ils s'engagèrent peu à peu dans des partis d'opposition où ils prenaient la parole haut et fort pour dire partout qu'il fallait une alternance politique. « C'est notre tour », ne cessaient-ils de répéter au cours de leurs nombreuses balades. « Oui, bientôt, ce sera à nous. » Et ce « nous » englobait les hommes de leur génération, nés avant l'indépendance et qui n'avaient toujours pas pris leur place dans la société, empêchés par les aînés. Ce « nous » était plus qu'un vague rêve. C'était une promesse, un serment. Un jour, Mohamed et Cherif en étaient convaincus, les aînés devront céder leur place et ce sera alors leur tour.

Ce 3 février, quand les généraux Saïd et Athmane arrivèrent sur le terrain, les deux amis restèrent au loin, continuant à discuter des prochaines élections. Mohamed, qui venait de créer un parti politique d'opposition, tentait de convaincre son ami de le rejoindre. Il avait réussi à rassembler d'anciens ministres, des militaires retraités, des professeurs d'université et deux juges encore en activité. Cherif était réticent. Il aimait bien sa vie comme elle était actuellement et craignait les éventuelles représailles à l'encontre de son épouse et de ses enfants. Et puis, il venait de décrocher un gros contrat de conseil en communication avec la wilaya de Constantine. S'il rejoignait le parti de son ami, est-ce que le wali ne remettrait pas en cause ce contrat ? Il avait bien besoin de cet argent, vivre à

Dely Brahim était au-dessus de ses moyens, mais ça, il n'osait pas le dire à son ami.

Ce n'est qu'en entendant des cris de plus en plus virulents que Mohamed et Cherif avaient regardé de nouveau vers le terrain et aperçu les jeunes en train de se battre avec les généraux. Il y avait également Adila, la moudjahida, qui tapait les deux hommes avec sa canne, encouragée par la folle aux cheveux rouges qui hurlait : « Oui ! Sur le dos ! Sur les fesses ! Fends-leur le crâne en deux ! » La scène leur sembla si surréaliste qu'ils restèrent figés pendant quelques secondes, se demandant s'ils étaient victimes d'une hallucination.

Enfin, ils se précipitèrent.

– On a tenté de s'interposer entre les jeunes et les généraux, expliqua Mohamed.

– Tout à fait, on a tenté, mais c'était compliqué, approuva Cherif.

– On avait du mal à comprendre ce qui se passait. Au début, il n'y avait que quelques jeunes, dont mon fils Youcef, et je le repoussais le plus loin possible.

– Il était déchaîné ton fils *ya si* Mohamed !

– Oui, je ne sais pas ce qui lui a pris…

– Ensuite, les généraux ont sorti leur arme.

– Tout à fait, on les a vus, ils ont sorti leur arme.

– Le chauffeur est resté dans la voiture, il avait l'air terrifié, ce trouillard.

– Il a quand même fini par prendre son téléphone et passer des tas de coups de fil.

– L'un des généraux a donné un coup de pied bien sournois à l'un des jeunes !

Tous les militaires eurent un murmure réprobateur :

– Ils n'ont pas honte !

– On ne frappe pas un homme sous la ceinture, même lorsqu'on est général.

Cherif poursuivit :

– Et là, Youcef a réussi à se saisir de l'arme d'un des généraux qui l'avait pointée sur lui ! Pardon Mohamed mais il a fait n'importe quoi ton fils.

– Je sais… pourtant, ce n'est pas son genre de se battre…

– Oui, c'est un calme, d'habitude !

– Tu sais comment sont les gamins d'aujourd'hui, à force de traîner sur Internet toute la journée, ils pensent qu'ils ont le droit de faire ce qu'ils veulent.

Les hommes rassemblés pressaient les deux autres de continuer l'histoire.

– Les deux généraux furent très surpris que mon fils réussisse à s'emparer de l'arme.

– Ils pensaient que la simple vue des pistolets calmerait tout le monde.

Mohamed ajouta, surexcité :

– Les trois jeunes en ont profité pour sauter sur les généraux !

– C'était incroyable! affirma Cherif.

– Ils les ont insultés! Ils ont même insulté leur mère!

– La vieille Adila n'arrêtait pas de frapper les généraux avec sa canne. Elle était toute rouge et elle avait du mal à tenir sur ses jambes à cause de sa cheville et de la boue.

– Ajoutez à ça la folle aux cheveux rouges qui s'était soudain mise à hurler des insanités. On était tous mal à l'aise.

– Puis on a aperçu au loin les gendarmes.

– Mon fils Youcef a prévenu ses amis et les a convaincus de s'enfuir. C'étaient des jeunes du quartier de Cheraga. Il avait peur qu'ils se fassent embarquer par les gendarmes. Leurs parents sont de simples enseignants au collège…

– Les gendarmes ont emmené Youcef et la vieille Adila. La folle aux cheveux rouges aurait aimé aussi aller à la gendarmerie mais personne ne voulait s'encombrer d'elle.

Les militaires riaient à gorge déployée:

– Les généraux ont brandi leurs armes, vous vous rendez compte?

– Oui! Mais ça n'a pas fait peur aux jeunes.

– Ça leur fait du bien aux généraux de se prendre une petite raclée.

– Et la vieille Adila avec sa canne qui elle aussi donnait des coups!

– Ah ça, il ne faut pas l'embêter la vieille.

– Elle ne rigole pas !

– J'aurais aimé voir ça !

Si Mohamed rit avec ses amis, c'est qu'il tient à faire bonne figure, mais il commence à être très inquiet pour son fils qui n'est toujours pas rentré. Il ne l'a pas suivi, furieux du comportement du jeune homme, mais plus le temps passe et moins il est optimiste sur la suite des événements.

A-t-on jamais vu en Algérie des généraux se montrer bienveillants à l'égard d'une révolte ?

5

Comment ça s'est passé ? demandèrent les épouses des deux généraux lorsque ces derniers rentrèrent furieux et humiliés. Ils furent agacés de cette question.

Le général Saïd ne répondit pas tout de suite et sortit dans le jardin fumer quelques cigarettes. Sa femme le suivit et s'assit sur le banc en pierre, attendant sagement que son mari se calme. Mais il bouillonnait de colère, faisait les cent pas dans le jardin de sa grande villa, pestant contre « ces voyous, ces malfrats, ces terroristes ».

Le général Athmane, lui, réunit ses cinq enfants dans le salon ainsi que son épouse. Il voulait la famille au grand complet pour raconter ce qui lui était arrivé. C'est ainsi qu'il procédait toujours.

Ils finirent tous les deux par raconter.

Ils étaient arrivés sur le terrain après une heure sur les routes quand il ne fallait normalement que trente minutes pour y aller mais cette saleté de pluie et de boue additionnée à l'incapacité des Algériens à conduire correctement les avait retardés. «Pays de merde», dit le général Saïd. Sa femme approuve de la tête. Lorsqu'ils arrivèrent sur leur terrain, chaque général insista bien : «*MON terrain*», ils ne firent pas attention à une vieille dame munie d'une canne qui leur tournait autour ni aux deux hommes qui discutaient en marchant un peu plus loin et encore moins aux jeunes qui fumaient sous le porche d'une maison, à quelques mètres et qu'ils apercevaient à peine.

— À vrai dire, reconnut froidement Saïd, on avait baissé la garde. On s'est fait avoir comme des bleus.

— C'est rare que tu sois si peu vigilant, s'étonna sa femme.

— Oui, c'est une bonne leçon, la racaille se cache partout, même chez les enfants de hauts officiers.

Si les généraux s'étaient sentis en sécurité, c'est bien parce que la plupart des maisons qui entourent ce vaste terrain sont les propriétés de militaires. Ils vivent ici entourés de leurs enfants et petits-enfants. Ceux qui ont revendu l'ont fait à des médecins, architectes, patrons.

— On pensait être entre nous, expliqua Athmane à ses enfants, c'est une bonne leçon pour nous. Ne vous fiez jamais aux autres, même à ceux qui vous ressemblent. Saïd et moi, nous nous imaginions être dans un quartier très sûr.

Les deux généraux furent réellement surpris de cette attaque à laquelle ils ne s'étaient pas préparés. C'est peut-être ce qui les choqua le plus. Heureusement que le chauffeur avait rapidement pu contacter le directeur de la sécurité et que les gendarmes étaient arrivés au plus vite, mais les jeunes avaient tout de même eu le temps de leur tomber dessus. Sortir l'arme avait été un réflexe de protection mais avec le recul, cela n'avait fait qu'exciter encore plus les gamins.

En une cinquantaine d'années au service de leur pays, les deux généraux ont eu le temps de se faire un grand nombre d'ennemis qui sont fichés, écoutés, suivis. Dans le lot, il y a des opposants politiques bien sûr, quelques militaires, des ministres, des petits délinquants, des journalistes, des voisins, des membres de leur propre famille ou de celle de leur femme.

Saïd et Athmane reçoivent des rapports réguliers sur leurs ennemis et sur la situation du pays. Persuadés d'être menacés, ils n'utilisent que rarement leur téléphone crypté, demandent des enquêtes sur toutes les personnes que leurs enfants fréquentent et vérifient régulièrement qu'un micro n'a pas été planqué chez eux par un ami, un membre de la famille ou un employé de maison. S'ils doivent discuter entre eux ou avec leur femme d'argent, de transactions, d'affaires ou de leurs comptes en banque à l'étranger, ils sortent dans le jardin et parlent à voix basse.

Peu de gens savent qui est le général Saïd. Date et lieu de naissance, études, rien, on ne sait rien de lui. Même ses collègues les plus proches ignorent presque tout de ce petit homme qui cultive le secret. Ainsi, il en est certain, personne ne sait qu'enfant, il rêvait de devenir danseur, qu'il ne suit aucun principe religieux et qu'il aime la littérature russe découverte lors de sa formation financée par l'armée algérienne à l'académie navale de Saint-Pétersbourg où il était affublé du surnom de « Nabot ».

Le général Saïd a été l'un des instigateurs de la purge dans les années quatre-vingt-dix. Il lutta avec acharnement contre toute forme d'islamisme, veilla à ce que les étudiants qui portaient une barbe soient suivis, mis sur écoute et convoqués pour être durement interrogés. Il ne douta jamais du bien-fondé de la mission qui lui avait été confiée par sa hiérarchie : anéantir les mouvements islamistes du pays.

C'est un homme très élégant, toujours bien habillé. Ses costumes sont faits sur mesure en Italie et ses trois enfants vivent en France grâce à des bourses octroyées par l'État.

On raconte que le général Saïd a des parts dans plusieurs entreprises du pays. Qu'il est incontournable pour tout ce qui touche au business en Algérie et que les proches des ministres et du président sont tous liés à lui d'une manière ou d'une autre. Mais le secret le mieux gardé est celui qui entoure son état de santé : il a un cancer qui le ronge depuis presque un an et il compte bientôt prendre sa retraite. Il devra alors céder sa grande maison de fonction à son successeur.

Le général Athmane, lui, a fait des études de droit en Angleterre payées par l'armée. C'est un grand et bel homme qui sait charmer son entourage, contrairement à son ami le général Saïd.

On ne le sait pas mais il n'a jamais obtenu de diplôme. Il passa ses années de faculté à boire dans des pubs et à courir après Mary, une jeune Anglaise qui le quitta du jour au lendemain. Athmane revint au milieu des années soixante-dix en Algérie où l'armée l'attendait les bras ouverts. Il présenta un faux diplôme et fut recruté dans le service juridique. Il épousa une femme qui venait du même village que lui et oublia très vite Mary et Londres. Il conseilla à son frère de créer une entreprise de travaux publics et lui fit obtenir grâce à ses relations les plus gros chantiers du pays.

Aujourd'hui, il possède un appartement à Genève, un hôtel en Espagne acheté sous le nom de son épouse, des tableaux de maître cachés dans un appartement à Paris qui est au nom de l'un de ses enfants et deux voitures blindées. Grâce au frère de sa femme, directeur de la douane, il peut faire passer ce qu'il veut sans problème et récupère régulièrement les marchandises saisies.

Ses cinq enfants habitent avec lui, même si les trois garçons, les aînés, se sont mariés et ont chacun déjà un enfant. Athmane tient à ce que toute la tribu reste ensemble. Et personne ne s'en plaint.

Une fois par mois, une voyante vient voir le général chez lui et déroule le fil du temps. Elle lui indique les dates où il doit faire attention, les jours où il peut sortir sans crainte. Elle vérifie que sa maison n'a pas été ensorcelée, que personne n'a laissé derrière un meuble un petit quelque chose comme une amulette ou un bout de papier sur lequel serait inscrite une formule magique, pouvant causer du tort au général et à sa famille.

Lors de sa dernière visite, elle l'a prévenu : « Je vois des ombres, une foule qui grandit, une menace, petite certes mais qui ne cesse de grossir… Je vois des ennemis, beaucoup d'ennemis, dont vous ne soupçonnez même pas l'existence. Je vois aussi quelque chose de rouge, un rouge très vif, que je n'arrive pas à identifier mais le rouge n'est pas une belle couleur, alors méfiez-vous, mon général ! » Il l'a remerciée et l'a raccompagnée à la porte en lui glissant un gros billet dans la main. Cette nuit-là, il dormit mal mais au matin, il décida qu'il était bien protégé et ne devait pas céder à la panique.

Saïd et Athmane se sont rencontrés dans les années quatre-vingt et une amitié très forte basée sur une méfiance paranoïaque à l'égard des autres, tous les autres sans exception, jusqu'aux épouses et aux enfants, mêlée au sentiment que leur mission, préserver l'Algérie des attaques internes et externes, était leur raison de vivre, vint renforcer leurs liens. Ils étaient plus proches l'un de l'autre que de leurs propres frères.

Ainsi, lorsque le général Saïd entendit parler de ce grand terrain d'un hectare et demi qui n'appartenait à personne, ou plutôt qui était la propriété du ministère de la Défense, il en parla à son ami et ils décidèrent de se l'octroyer pour y construire deux villas voisines. Ainsi, ils se sentiraient en sécurité. Chacun protégerait et veillerait sur l'autre et sa famille.

C'était parfait.

6

Mercredi 3 février, peu après 11 heures, les cloches des écoles primaires du quartier de Dely Brahim sonnent et des centaines d'enfants se pressent dehors, envahissent la rue d'un seul mouvement. Foule de blouses bleues, roses, blanches, jaunes, à carreaux, à rayures, de couleur unie avec un petit détail, courtes, longues. Les écoliers rejoignent leur maison, sautent à pieds joints dans les flaques, éclatent de rire, se poursuivent. Ils font comme tous les enfants du monde : profiter du plaisir d'être libérés de l'école le temps de la pause-déjeuner, courir derrière les chiens errants, se poursuivre, le cartable sur le dos. Certains marchent seuls, d'autres se déplacent en groupes, d'autres encore rentrent deux par deux, comme de petits couples. Il n'est pas rare qu'ils percutent des adultes qui râlent alors sur ces enfants mal élevés.

Inès, Jamyl et Mahdi, eux, bavardent gaiement sur le chemin, en évitant les poteaux et les arbres. Ils s'arrêtent quelques minutes pour acheter des chewing-gums dans un bureau de tabac. Le vendeur leur offre des bonbons en supplément. Il aime bien ces trois gamins qui passent souvent dépenser leurs quelques pièces chez lui.

Ils arrivent à l'entrée de la cité du 11-Décembre, dévalent la pente qui mène au cœur des maisons en faisant attention aux voitures qui la remontent. Arrivés devant le terrain, ils découvrent des adultes en train de vociférer et de gesticuler : Youcef hurle pendant que des gendarmes tentent de les calmer. Adila, la grand-mère d'Inès, essaye de frapper deux hommes avec sa canne, empêchée par Mohamed et Cherif qui se sont mis entre elle et les généraux.

Ils s'approchent du terrain mais n'osent pas trop avancer. La folle aux cheveux rouges les rejoint et ricane, laissant apparaître sa bouche édentée :

– Les enfants, connaissez-vous l'histoire de l'âne d'El Hakim ?

Inès, Jamyl et Mahdi secouent la tête.

La folle reprend :

– Non ? Eh bien, écoutez : c'est l'histoire d'un âne qui quitte sa campagne pour se rendre dans la capitale. Il se trouve dans le centre-ville lorsqu'un gendarme l'arrête et lui demande ce qu'il fiche ici. L'âne lui dit :

– J'ai fait ce long chemin pour passer à la radio.

Le gendarme rétorque :

– Comment ça, tu veux passer à la radio ? Mais il n'y a pas de place pour toi là-bas.

L'âne, blessé, lui répond :

– Pourquoi, moi, je n'y serais pas le bienvenu alors que toute la journée des ânes y parlent ?

Les enfants éclatent de rire. Contente, la folle aux cheveux rouges leur adresse un baiser de la main et retourne sur le terrain en gambadant dans sa robe jaune.

7

Dans les journaux du lendemain, plusieurs articles relateront l'histoire de ces deux généraux qui ont « pointé leur arme sur des jeunes du quartier ». Ils diront aussi que la gendarmerie nationale a été prévenue et qu'elle est vite arrivée sur les lieux, que des témoignages ont été recueillis, qu'une enquête a été ouverte, que les habitants ont averti qu'ils ne laisseraient jamais cet espace être transformé en grosses villas pour des généraux. Le premier quotidien du pays publiait un article qui sera largement repris sur les réseaux sociaux.

DELY BRAHIM : LE TERRAIN
DE LA DISCORDE

Depuis hier, la tension monte à Dely Brahim. L'objet du litige est un terrain d'environ un hectare et demi situé au centre de la cité du 11-Décembre-1960 et

qui était jusqu'à présent utilisé par les jeunes des envi-
rons comme terrain de football.

Deux généraux ont annoncé hier matin vouloir y
construire des villas, causant ainsi la colère des rési-
dents. Une bagarre entre eux et des jeunes a éclaté.
Appelée sur place, la gendarmerie a procédé à des arres-
tations.

Adila, la célèbre moudjahida, présente sur les lieux au
moment de l'échauffourée, a déclaré : « Il est impen-
sable qu'on laisse ces généraux s'approprier ce terrain
qui appartient à la communauté. »

Le maire de Dely Brahim a tenu quant à lui à rappe-
ler que la cité du 11-Décembre a été créée en 1987 par
le ministère de la Défense qui a ensuite cédé les lots à
des militaires. Il a ajouté : « Je ne suis au courant de
rien et ne suis pas habilité à m'en mêler. Il n'est donc
pas nécessaire de tenter de me joindre à ce sujet. »

De leur côté, les généraux ont fait savoir qu'ils possé-
daient un acte de propriété légal et que les travaux
devraient démarrer au printemps.

Aucun journaliste ne mentionnera les trois enfants qui
les jours de pluie jouent sur le terrain de foot. Personne
ne dira que des colonels à la retraite ont ri sous cape de
voir des généraux se prendre une raclée par des jeunes
mais que ces mêmes colonels ne se sont pas risqués à se
battre pour le terrain de leurs enfants. Personne non plus

ne mentionnera le fait que les généraux préparent déjà leur contre-offensive et que Mohamed, même s'il fait bonne figure, a très peur pour son fils Youcef, considéré comme le meneur de cette fronde.

De leur côté, Inès, Jamyl et Mahdi attendent et observent, inquiets.

8

Ce mercredi 3 février au matin, les gendarmes arrivèrent très vite. Quand vous les appelez pour une urgence, ils prennent tout leur temps, argumentent que c'est difficile de se repérer dans cette cité, qu'ils sont en sous-effectif, que ce n'est pas vraiment de leur ressort ou ne répondent tout simplement pas au téléphone.

Si vous vous déplacez, à moins d'être un haut gradé influent ou un cousin du directeur, ils vous font poireauter, vous inondent sous la paperasse, photocopient pendant près d'une heure votre pièce d'identité avant de vous promettre qu'ils verront ce qu'ils peuvent faire. Évidemment, vous n'en entendez ensuite plus jamais parler.

Mais là, en un coup de fil du chauffeur d'un général au directeur de la sécurité du pays, quatre gendarmes moustachus habillés d'uniformes neufs se précipitèrent à Dely Brahim, cité du 11-Décembre-1960, et embarquèrent

Youcef et Adila. Ils présentèrent leurs excuses aux généraux alors qu'ils n'y étaient pour rien et les assurèrent qu'ils allaient faire le nécessaire, tout le nécessaire ajouta l'un d'entre eux sans que personne ne sût réellement ce que cela signifiait. Ils empêchèrent une folle aux cheveux rouges de les suivre et retournèrent à la gendarmerie.

– Si vous voulez savoir pourquoi on s'est battus contre eux, expliqua Youcef, c'est parce qu'ils veulent prendre notre terrain de football. Et ils ricanaient. Ils ont déjà toute cette saleté de ville ! Pourquoi il faut qu'ils nous volent le seul truc un peu chouette du coin ?

– Commence pas à chialer, on vient juste de démarrer l'interrogatoire ! lui répondit le gendarme.

Ce dernier avait grandi dans un quartier populaire de Constantine. Son père y avait été abattu en 1992. La veille, la télévision nationale avait transmis des images d'une visite du président de la République, très encadrée par des agents de police et des militaires. Son père était là, dans un coin de l'écran en tenue de policier. Il était apparu à peine quelques secondes à la télévision mais cela avait suffi à provoquer sa mort. Personne avant ce jour-là dans l'immeuble où il vivait ne savait qu'il faisait ce métier. En rentrant le soir avec son fils de douze ans, qu'il était allé chercher au collège, il fut abattu par un voisin qui avait pris les armes à l'appel des groupes islamistes armés.

Le fils avait tout vu. Il tenait la main de son père au moment du coup de feu. Il la tenait encore lorsque les ambulanciers arrivèrent. Il la tenait malgré la flaque de sang, malgré son père qui ne répondait plus, malgré les voisins qui hurlaient depuis les fenêtres, malgré les sanglots de sa mère. Que pouvait-il faire d'autre que tenir la main de ce père aux yeux grands ouverts ?

Il était devenu gendarme et avait quitté Constantine, la ville des ponts, pour Alger. Il s'était éloigné de ses cauchemars, de sa mère devenue folle en une nuit. Et maintenant, il se retrouvait face à un gamin de vingt ans vêtu d'un sweat-shirt trop grand pour lui et de baskets qui devaient valoir deux mois de salaire. Il avait l'air furieux mais il ne fallait pas oublier que sous ce grand pull se cachait le fils d'un officier supérieur à qui on avait simplement pris son jouet et qui avait tenté en retour de frapper un général. Le gendarme en avait des sueurs froides rien qu'en imaginant la scène. Quelle drôle d'époque on vivait, se disait-il. Un fils de colonel à la retraite qui s'en prend à un général pour un terrain vague où les chiens errants doivent déféquer à longueur de journée.

– Tiens, mouche-toi dans cette feuille de papier, il n'y a rien d'autre. C'est bon, tu t'es calmé ? On peut reprendre ? Allez, raconte, qui vous a prévenus tes copains et toi que les généraux étaient là ? Vous étiez dans le coin ?

– On n'était pas loin.

– Vous faisiez quoi ?

– On fumait.

– Vous fumiez quoi ?

– Des cigarettes, juste des cigarettes.

– C'est ça… On va te faire pisser et on vérifiera.

– Je vous jure que c'est vrai ! On était en train de fumer tranquillement devant la maison d'un copain quand Adila, la moudjahida, qui habite une petite maison face au terrain, les a vus. Elle les a entendus parler de construire leur villa sur notre terrain. Elle est venue nous prévenir et nous y sommes allés pour leur dire de dégager. Ils ont volé le terrain ! Vous comprenez ? Ils ont volé notre terrain de football !

– Arrête de crier. Tu te crois où ?

– On ne se laissera pas faire. On est dans notre bon droit.

– Votre bon droit ? Voyez-vous ça… Bon, vous êtes allés sur le terrain après que la vieille moudjahida vous a prévenus, d'accord et ensuite, t'as fait quoi, toi ?

– Ben rien… enfin, j'ai dit « hé, vous n'avez pas le droit, c'est notre terrain », un truc comme ça.

– Tu t'es cru dans un film.

– Qu'est-ce que j'aurais dû dire ? « Bonjour messieurs, pardonnez-moi de vous déranger mais vous êtes sur notre terrain de football, pourriez-vous remballer vos plans et repartir chez vous sans faire trop de bruit ? » Et après, vous pensez qu'ils auraient répondu : «Oh pardonnez-nous, nous partons tout de suite bien sûr, voilà, nous vous rendons le terrain et tout le pays, bon match, amusez-vous bien»?

Dans la salle voisine, le commandant de la brigade de la gendarmerie, accompagné de son adjoint, interrogeait Adila, la grand-mère d'Inès. Le directeur s'occupait personnellement d'elle car il ne voulait prendre aucun risque. Il savait que ces fouineurs de journalistes n'attendaient que cela : qu'un gendarme parle ne serait-ce qu'un peu fort à une vieille dame, une moudjahida par-dessus le marché, pour en faire leurs gros titres.

— Allez, continue, répéta le gendarme à Youcef, et arrête de te foutre de moi.

— Je ne sais plus, moi, balbutia le fils de Mohamed avant de s'effondrer en larmes.

Il lui servit un verre d'eau et lui fit signe de poursuivre.

— Ben après... Je ne sais plus trop comment ça s'est passé. Ils nous ont provoqués. Au début, on pensait pouvoir les convaincre. Ils en avaient rien à faire de ce qu'on disait. Ils nous ont ordonné de déguerpir. Ils n'arrêtaient pas de répéter en souriant : «Mais on est chez nous, les enfants, vous n'y pouvez rien.» C'était rageant ce «vous n'y pouvez rien» dit avec le sourire. On n'arrivait pas à croire qu'ils allaient vraiment prendre le terrain juste comme ça, pour construire leurs immenses baraques.

On ne pouvait pas les laisser faire. On voulait qu'ils s'en aillent, qu'ils nous foutent la paix.

– Mais vous les avez frappés ?

– Non, pas tout de suite…

– Vous leur avez pris leur arme, non ?

– Oui, mais c'était plus un réflexe vous voyez, ils la pointaient sur nous alors je l'ai prise tout simplement et ils se sont laissé faire…

– T'as conscience que c'est la fin pour toi ? Tu vas finir au trou, tu le sais ça ? Et tes petits copains avec toi, parce qu'on va les retrouver, ne t'inquiète pas, on est bien informés. Vous allez voir ce que c'est que de jouer à la baballe en prison.

Épuisé, Youcef éclata de nouveau en sanglots :

– Mais on voulait juste garder notre terrain. Ça fait des années qu'on joue au foot là-bas. Nos petits frères y jouent aussi. On n'a que ça ! Eux, ils ont tout le pays, ils ne peuvent pas nous laisser ce bout de terrain ?

– Arrête, tu vas me faire pleurer.

– Mais c'est vrai, on a rien d'autre !

– Ton père est un colonel à la retraite, non ?

– Oui, mais…

– Et toi, enfant de haut gradé à la retraite, tu as décidé d'attaquer deux généraux qui n'ont rien fait de mal, à quelques mètres de ton père, c'est bien ça ?

– C'est quoi le rapport avec mon père ?

– Ne te fous pas de moi. Tu ne vas pas me faire croire que c'est juste pour pouvoir jouer à la balle que toi et tes amis avez frappé ces généraux.

– Ben si…

– J'ai un rapport sous les yeux qui m'a été transmis par mes collègues de la sécurité. Ton père est le colonel Mohamed, retraité de l'armée encore très actif, très politisé. Il vient de créer un parti politique qui s'oppose à notre président.

– Et alors ?

– Je continue. Donc, il a créé ce parti et il essaye de recruter des gens pour le rejoindre. Tu vois, on sait tout ici. De plus, j'ai plusieurs courriers adressés à la mairie, des pétitions, des lettres, toutes sont envoyées par lui et concernent les routes de la cité du 11-Décembre-1960. Selon eux, la mairie ne goudronne que celles qui mènent aux maisons des généraux.

– C'est vrai… Vous pouvez aller vérifier.

– Je n'ai pas que ça à faire. Allez, avoue, toi et tes amis, vous vouliez taper du général, hein ?

– Non, protesta Youcef. Ce n'est pas parce qu'ils sont généraux, c'est parce qu'ils piquent notre terrain. On n'en a rien à faire de l'état des routes. Peut-être que les généraux ne savent pas conduire sur des routes cabossées mais nous, on sait très bien. On s'en fiche qu'il y ait de la boue et des trous.

— Il y a quelque chose qui me chiffonne… Comment vous avez su que c'étaient des généraux ? reprit le gendarme.

Youcef était épuisé. Il se moucha bruyamment dans la manche de son pull et réussit à dire en hoquetant :

— Bah on l'a su quoi, c'est tout, ils étaient… là, avec leur sourire. Ils portaient des lunettes de soleil alors qu'on est en février et que c'est le déluge depuis des jours. Ils avaient un air arrogant et il y avait ce chauffeur qui les suivait partout comme un toutou avec ses deux parapluies. Et puis, Adila nous l'avait dit, je crois. Je ne sais plus, c'est confus.

— Et quand avez-vous décidé de leur tomber dessus ?

— Je vous l'ai déjà expliqué tout à l'heure, on n'a rien décidé, enfin ! Ce n'était pas prévu, on ne savait pas qu'ils viendraient ce matin-là. On a été pris dans la bagarre, c'est tout.

— Mais la bagarre, c'est toi et tes copains qui l'avez commencée…

— Ils nous insultaient. Ils nous ont manqué de respect. On voulait juste qu'ils partent. Rien d'autre. On leur a pris leur arme parce qu'on avait peur qu'ils nous tirent dessus. Ils en auraient été capables. On ne voulait pas se faire descendre.

— Revenons à tes deux amis. Leurs noms ?

— …

— Je répète : leurs noms ?

– Je ne sais pas.

– Comment ça, tu ne sais pas ?

– C'est des copains, on joue au foot et on fume ensemble quelques cigarettes mais ils ne vivent pas à la cité du 11-Décembre. Je ne connais pas leur nom de famille. On ne s'appelle pas par nos noms !

– Très bien. Les prénoms alors et les adresses.

– Je ne suis jamais allé chez eux.

– Les prénoms ?

– …

– Très bien. Tu vas rester ici quelques heures et peut-être que la mémoire te reviendra. En attendant, tu vas me signer ta déclaration.

Le gendarme sortit une liasse de feuilles blanches du tiroir de son bureau, qu'il inséra dans le tiroir de l'imprimante. Il tapa difficilement quelques phrases sur son ordinateur, cliqua plusieurs fois sur sa souris et tendit une déclaration imprimée en trois exemplaires à Youcef.

– Vas-y, signe là où il y a ton nom.

– Pourquoi il y a autant d'espace entre le texte et mon nom ?

– C'est au cas où la mémoire te reviendrait.

Youcef hésita mais prit le stylo et signa sans lire.

De son côté, le commandant de la brigade de la gendarmerie offrait un thé à Adila qui prenait tout son temps pour le boire. Il ne savait pas comment démarrer l'interrogatoire. Elle avait beau mesurer à peine un mètre cinquante et être aussi vieille que sa mère, elle l'impressionnait. Il n'oubliait pas qu'elle avait posé des bombes pendant la guerre, ni qu'elle avait été torturée pendant des nuits entières par l'armée française sans jamais révéler la cachette des autres membres de la cellule secrète à laquelle elle appartenait.

Il finit par demander nerveusement :

— Madame Adila, je suis heureux de vous recevoir. Je suis l'un de vos plus grands admirateurs. Sans vouloir abuser de votre temps, madame, si vous pouviez juste me raconter ce qui s'est passé, mon adjoint le tapera à la machine, vous pourrez signer et rentrer tranquillement chez vous.

Adila lui sourit et demanda :

— Vous avez peur d'eux, hein ?

— Madame, s'il vous plaît, je fais juste mon travail.

— Vous avez la trouille, n'est-ce pas ? Ils vous font peur ces généraux, hein ? Vous faites dans votre caleçon ?

— Madame Adila, c'est grave, des jeunes ont pris les armes d'officiers supérieurs.

— Oh oui, c'est vrai. Des jeunes ont essayé de se défendre face à ces hommes qui ne respectent rien, qui accaparent tout le pays.

— Ils leur ont pris leurs armes !

– Mais enfin, ces officiers supérieurs les menaçaient avec des fichus pistolets.

– S'il vous plaît, une grande dame comme vous, qui a lutté pour l'indépendance du pays, vous ne pouvez pas être du côté de ces…

– De ces jeunes ? Vous croyez que je suis du côté des généraux ? Je les ai tapés avec ma canne. Ils ne vous l'ont pas dit ça, hein ! Trop honteux de s'être fait taper dessus par une vieille femme comme moi.

– Madame…

– Parfaitement, avec ma canne, je l'ai soulevée et *bam* sur le dos !

Il y eut un silence. Adila but son thé et, avec un petit sourire, demanda :

– Eh bien quoi ? Vous ne tapez pas à la machine, cher monsieur ?

9

Dely Brahim est une commune de la banlieue ouest d'Alger. On y retrouve les traces du tout premier village colon français. En 1832, une cinquantaine de familles s'y installa, à côté des collines verdoyantes, à quelques dizaines de kilomètres du littoral et des plages. Un siècle plus tard, à la veille de l'indépendance du pays, il y avait à peine plus d'un millier de personnes dans cette commune.

Au milieu des années quatre-vingt-dix, on pouvait encore apercevoir des chevaux courir au loin. Le bois, devant lequel on avait créé un arrêt de bus, ressemblait à une étrange petite forêt pleine de mystères. Les rues étaient vides. Aujourd'hui, les nouveaux riches ont envahi cette commune et elle pullule de boutiques de meubles et de vêtements. À travers les vitrines, on peut voir des vêtements criards importés de Chine, de France ou d'Espagne, des meubles laqués, d'immenses lustres en faux cristal ou encore des plantes en plastique. Bien sûr, ont également ouvert un peu partout des salles des fêtes ultra-climatisées pour célébrer les mariages. Elles sont réservées un an à l'avance et ce business juteux remplit les comptes en banque d'hommes qui ont réussi à acheter d'immenses maisons grâce à de juteuses affaires.

Le quartier est perpétuellement en travaux. On a coupé tant d'arbres qu'on ne peut plus vraiment dire qu'il y a un bois à Dely Brahim. On avait comblé les nids-de-poule mais certains habitants se plaignant des jeunes qui roulent trop vite ont fait fabriquer un peu partout dans la commune des dos-d'âne de fortune sans aucune autorisation et en toute illégalité. Chaque coin de rue a maintenant son dos-d'âne qui ressemble à une petite bosse en béton. On a repeint les vieilles maisons en jaune, en rose, en marron. Des tags sont apparus sur les murs de la mairie et de la poste, « Vive Bouteflika », « À mort les pédés », « Karima, je l'ai déjà baisée quatre fois ».

Désormais la commune donne l'impression de s'étaler à l'infini, sans plan et sans vraiment de réflexion. On repère facilement le centre-ville original où se trouve la mosquée bien trop petite pour accueillir les nombreux fidèles le vendredi, qui finissent par prier dans la rue, bloquant le passage et la route. Le reste de la semaine, la mosquée est vide. Près de l'autoroute, on a aménagé un immense parc où les couples et les familles peuvent se balader le week-end, pique-niquer ou courir.

La cité du 11-Décembre-1960 n'a pas échappé à toutes ces transformations. Le petit salon de coiffure du quartier s'est transformé en épicerie fine. L'école privée en une autre école privée bien plus chère. Quelques villas abritent discrètement le siège d'entreprises. Autour du terrain, s'élève un château d'eau en briques, quelque peu surélevé, dont le réservoir cylindrique s'ouvre généreusement vers le ciel, phare dans la nuit, pour alimenter en eau toute la cité.

Ce château d'eau, on le dit hanté. Les ronces ont envahi les abords. On n'a jamais vu quiconque y pénétrer. Aucun employé. Beaucoup de rumeurs ont circulé à son sujet. Qu'une porte cachée permet d'y entrer sans clé. Qu'un horrible et sanglant assassinat y eut lieu. Que des terroristes y cachaient des vivres et des armes pendant les années quatre-vingt-dix. Que la porte du monde des djinns se trouve en dessous. Ou encore, mais personne n'aimait cette version car elle était trop raisonnable, qu'il ne servait plus à rien mais que le détruire coûterait plus cher que de le laisser là.

Parfois, on pouvait entendre des hurlements et même quelques ricanements, mais les adultes assuraient qu'il s'agissait simplement du bruit du vent ou de chiens qui erraient aux abords du château d'eau. Jamyl était obligé de passer devant pour rentrer chez lui lorsqu'il quittait le stade. À chaque fois, il courait aussi vite qu'il le pouvait, le cœur battant, pour éviter de se faire attraper par les mauvais esprits.

Un jour, il trébucha sur une grosse pierre au milieu de la route et s'affala de tout son long devant le château d'eau. Il crut entendre des éclats de voix. Sa bouche s'assécha. Il resta étendu par terre, n'osant pas bouger comme lorsqu'il était dans son lit, figé par la peur que le moindre mouvement n'attire l'attention des monstres tapis dans la pièce. Il n'osait pas relever la tête, au cas où quelque chose d'atroce apparaîtrait. C'était la fin de la journée et le soleil était en train de se coucher. Le crépuscule n'allait pas tarder et comment faire, une fois que la nuit serait là, pour se relever et parcourir les quelques pas qui le séparaient de sa maison ? Jamyl tenta de se raisonner : la maison n'était pas hantée, il était ridicule de rester allongé par terre, il avait dû se salir et sa grand-mère ne serait pas contente, si quelqu'un le voyait ainsi, il se demanderait ce qui lui prenait et il risquait de finir enfermé chez les fous. Bien sûr, il entendait quelques craquements comme des pas qui s'approchaient depuis le château d'eau. Il sentait une drôle d'odeur, un parfum lourd et entêtant. Et puis son cœur qui battait si intensément. Et sa respiration qui devenait de plus en plus rapide. Voilà, il allait tout bêtement mourir d'un arrêt cardiaque là, comme ça, à Dely Brahim. On mettra une plaque, pensa-t-il : ici est mort Jamyl, un trouillard tombé par terre et qui n'osa jamais se relever.

Enfin, il réussit à se calmer assez pour se redresser. Il épousseta son pantalon et c'est là qu'il aperçut la folle aux cheveux rouges, la bouche grande ouverte laissant apparaître ses gencives sans dents. Elle se pencha vers Jamyl :

– Tu as besoin d'aide, mon tout petit ?

Jamyl hurla, sauta sur ses pieds et courut jusque chez lui sans se retourner.

10

Les généraux déposèrent plainte et passèrent quelques coups de fil au ministre de la Justice. Youcef est revenu chez lui. Il attend que la justice se mette en branle. Il sait qu'elle peut être très longue comme très rapide et que tout dépendra des relations qu'ont les généraux d'un côté et de celles de ses parents de l'autre. Chacun s'active. C'est comme un jeu de cartes, une bataille, gagnera celui qui aura la carte la plus élevée, un ministre, un juge à la cour mais aussi parfois des hommes de l'ombre qui n'apparaissent sur aucun organigramme officiel, qui n'ont aucune fonction publique, que l'on peut apercevoir parfois dans le coin d'une photo ou d'une vidéo officielle. Eux, possèdent souvent plus de pouvoir que des généraux et des ministres. Ce sont des hommes d'affaires, des proches du président, des faiseurs de rois ou de fous.

Chacun prend son téléphone et passe des dizaines de coups de fil. Les tractations commencent. Les parents de Youcef n'ignorent pas qu'ils se battent en vain, mais ils savent aussi qu'ils n'ont pas d'autre choix que de tenter de sauver l'avenir de leur fils.

Quant à Adila, qui avait reconnu avoir frappé les généraux avec sa canne, elle fut relâchée avec les excuses des gendarmes. Les généraux avaient prudemment décidé qu'il valait mieux éviter de porter plainte contre une vieille dame, moudjahida, présidente d'une association luttant contre les violences faites aux femmes, adorée de tout le pays.

De leur côté, Mahdi, Jamyl et Inès récoltent le maximum d'informations. Ils ont écouté. Ils ont hoché la tête et retenu leurs larmes. Ils ont même fait semblant de comprendre lorsqu'on leur a expliqué que ces généraux possédaient des papiers prouvant que le terrain leur appartenait. Le grand-père de Jamyl, général à la retraite, a répété plusieurs fois à son petit-fils : « ils ont des papiers en règle, ils n'ont rien fait de mal, c'est leur terrain, il leur appartient ». Le père de Mahdi, lui, ne dit pas grand-chose. Assis sur son fauteuil roulant, il regardait la télévision et aux timides questions de son fils, il hochait simplement la tête et déclarait « c'est comme ça, on n'y peut rien ». La mère d'Inès, Yasmine, cria très fort contre sa mère, qui avait passé de nombreuses heures à la gendarmerie.

– À ton âge ! Sortir sous la pluie et taper des généraux avec une canne ! Tu te rends compte ? Et s'ils t'avaient fait du mal ? Et si tu avais glissé ?

Adila lança un long regard méprisant à sa fille et s'installa sans rien dire sur le canapé, munie de son carnet noir.

Lorsque Youcef rentra chez lui à la nuit tombée, il trouva son père dans sa chambre, assis sur le lit. Il lui adressa un timide sourire mais son père resta de marbre. Il était un peu pâle, le visage fermé, les yeux cernés. Youcef prit une chaise et s'assit face à lui sans rien dire. Mohamed regarda les posters collés au mur de la chambre. Il s'agissait surtout d'affiches de films américains qu'il n'avait jamais vus. Son fils était une énigme depuis au moins cinq ans.

Il finit par prendre la parole :

— C'est très grave Youcef.

Le fils ne baissa pas la tête, ne détourna pas le regard, il n'avait rien à se reprocher.

— Ce que tu as fait est très dangereux, tu n'as pas idée du pétrin dans lequel tu t'es mis.

— J'ai essayé de…

— Tais-toi ! C'est moi qui parle.

— D'accord papa.

— Se battre contre des généraux, tu es devenu fou ?

— Ils étaient là pour prendre notre terrain de football.

— Et alors ? Qu'est-ce que ça peut faire ? Ils ont tous les droits ! Ils peuvent tout prendre s'ils veulent.

Youcef riposta :

– Tu passes ton temps à dire que tu luttes contre le pouvoir, qu'il faut se battre, tu passes des heures à parler de ça avec maman et tes amis.

– Ce n'est pas pareil !

– Ah bon ? Et en quoi ?

– Moi, ils ne peuvent rien contre moi, rien ! Ils ne peuvent pas m'atteindre. Je suis à la retraite, je fais ce que je veux. Toi, ce n'est pas pareil.

– Pourquoi ce serait différent ?

– C'est leur terrain, ils ont un acte de propriété. On n'est pas des sauvages, on ne frappe pas les gens avec les poings.

– Ils nous ont attaqués les premiers.

– Tu veux quoi ? Aller en prison ?

– Je dois faire quoi ? Rien ? Subir ?

– Subir ? Subir, tu dis ? Tu subis quoi ? Tu habites dans une belle maison que j'ai mis plus de vingt ans à faire construire. On s'est privés de tout avec ta mère, de vacances, de voyages, de restaurants pour pouvoir être propriétaires ici. Tu n'as rien fait, toi.

– On ne va pas laisser ces deux généraux nous prendre notre terrain de football.

Mohamed était de plus en plus rouge de colère :

– Ce n'est pas votre terrain ! Vous n'avez rien !

– Ce n'est pas le leur non plus ! Ce terrain appartient à la communauté !

– Tu es en Algérie, la communauté est un concept, pas une réalité ! Tu ne peux rien faire. Toi et tes copains, vous êtes des gamins. Tu vas te taire, tu ne vas plus sortir d'ici, tu vas t'excuser. Tu vas arrêter de traîner avec tous les drogués du quartier. Je te préviens, tu as intérêt à faire ce que je te dis. C'est clair ?

– Oui…

– Il faut te ressaisir Youcef. Tu agis comme un enfant. Il est temps de grandir.

– J'ai juste essayé de défendre ce qui nous appartient contre les généraux.

Mohamed se leva, furieux :

– Tu es en train de foutre ta vie en l'air ! C'est tout ! Ils vont vous broyer, vous serez finis, les gendarmes peuvent venir vous arrêter du jour au lendemain et vous mettre en prison. Tu as conscience de ça ? Tu comprends au moins ce que je te dis ?

Youcef marmonna :

– Qu'ils viennent ! C'est injuste tout ça…

– Ce n'est pas injuste, c'est leur terrain, il leur appartient. Ils ont un acte de propriété.

– Eh bien, ce n'est pas normal, ça fait vingt ans qu'on joue au football sur ce terrain, il n'était pas destiné à être vendu, ils l'ont accaparé juste parce qu'ils ont des relations, tu le sais bien !

– Ils font ce qu'ils veulent ! Tu veux aller en prison pour un terrain de football ?

Youcef était épuisé et n'avait plus qu'une envie : se coucher. Il ne savait plus si ce qu'il avait fait était juste ou complètement stupide. Est-ce qu'il regrettait ? Oui, un peu mais au fond, il était aussi fier.

– En quelques minutes et pour des matchs de football, tu as mis tout ton avenir en jeu. Est-ce que tu réalises ça Youcef ? C'est important que tu comprennes la gravité de tes actes.

– Papa, si tout le monde ne pense qu'à son petit avenir et son petit confort, comment ferons-nous pour changer les choses ?

– Ce n'est pas à toi de le faire.

– Alors c'est à qui ?

– Si tu étais venu m'en parler, j'aurais pu me renseigner, passer quelques coups de fil, voir ce qu'il est possible de faire.

– Ce n'est pas avec des coups de fil qu'on gardera notre terrain.

– Encore une fois, il n'est pas à toi ni à tes amis.

– Il n'est pas à eux non plus.

– Je suis fatigué. Tu fais exprès de ne pas comprendre. Qu'est-ce que tu veux ? Gâcher tout ton avenir pour jouer au ballon ? À ton âge ?

Youcef baissa la tête sans répondre. Mohamed laissa son fils dans sa chambre et rejoignit sa femme qui terminait sa prière. Il pensa qu'avec toute cette histoire, il était lui-même très en retard sur ses prières quotidiennes et qu'il faudrait en faire plusieurs ce soir pour les rattraper. Il fut tenté de faire l'impasse et d'aller directement se coucher mais s'obligea à faire ses ablutions et se dirigea vers son petit bureau pour prier, la porte close, fermée à double tour.

Lorsque le terrorisme faisait rage, Mohamed, qui devait tous les jours se battre contre les groupes terroristes, arrêta la prière pendant dix ans. Le temps de cette guerre. Il n'en parla à personne, n'expliqua rien à sa femme. Prier lui était devenu tout simplement impossible. Il y avait trop d'horreurs autour de lui. Il ne supportait plus de devoir appeler des parents ou des jeunes femmes pour leur apprendre que leur fils ou époux était mort au combat, abattu à bout portant, déchiqueté par une bombe ou torturé par une lame. Il ne supportait plus d'entendre le mot « Dieu » dans la bouche des terroristes. Il ne supportait plus de dire le même mot sur son tapis de prière. Les mots. Ils se mélangeaient dans sa tête. Quelqu'un peut-il salir un mot ? Peut-il se l'approprier tant et si bien qu'il finit par vous l'arracher, vous le voler en quelque sorte ? Se battre contre les terroristes, monter au maquis, débusquer les camps, c'était un peu une manière de se réapproprier tous les mots que les intégristes avaient confisqués aux Algériens.

Chaque jour, Mohamed redoutait d'apprendre le décès d'un ami ou d'un collègue. Il passait de plus en plus de vendredis au cimetière.

À chaque fois, à chaque annonce d'un nouveau crime commis sur un proche, il allait s'enfermer dans le petit salon du minuscule appartement où il vivait avec femme et enfants dans une cité militaire de Bouzaréah. Il verrouillait la porte derrière lui et pleurait la personne disparue.

C'est seulement au début des années 2000 que Mohamed reprit la prière, là encore sans rien dire à personne. Aucun de ses enfants ne l'avait jamais vu prier et c'est ainsi, pensait-il, que cela devait se passer. Prier à l'abri des regards. Prier comme on fait l'amour : la porte close.

Mohamed est issu d'une famille très pauvre et depuis son adolescence, il travaille dur, avec l'ambition de devenir quelqu'un qui compte en Algérie. Au fond, ce qu'avait fait son fils le terrorisait. Il voulait que ses enfants terminent leurs études à l'étranger, loin, très loin du pays, qu'ils débarrassent le plancher pour lui laisser la voie libre. Alors, enfin, il pourrait se sentir vraiment libre de dire tout haut ce qu'il voulait sans avoir peur pour eux. Il pourrait mener une révolte avec ceux de sa génération qui n'attendaient que ça.

Savoir son fils empêtré dans une histoire qui concernait deux généraux parmi les plus importants de l'armée, convoqué par la gendarmerie, encore plein de colère

donc capable de commettre d'autres bêtises, le terrorisait. Cette nuit-là, il ne dormit pas. Sa femme non plus.
Dans leur grand lit en chêne massif, les deux époux se
tenaient la main, les yeux grands ouverts, se demandant
comment aider Youcef.

11

Mahdi et Jamyl avaient tenté d'obtenir des informations plus précises de la part de Youcef et de ses amis. Ceux-ci ne s'approchaient plus du terrain. Ils fumaient de la marijuana à quelques pâtés de maisons de chez eux. Les deux garçons n'en avaient pas parlé à Inès car elle aurait voulu les accompagner et elle ne comprendrait pas que les jeunes du quartier n'allaient pas les prendre au sérieux s'ils arrivaient avec une fille, aussi jolie et douée au foot soit-elle.

Ils tentèrent de ne pas avoir la voix qui tremblait lorsqu'ils questionnèrent les grands sur ce qui s'était passé. Les jeunes leur racontèrent toute l'histoire, la bataille contre les généraux, les armes, le coup de pied sous la ceinture, la canne de la vieille Adila, les gendarmes, le risque d'aller en prison.

Mahdi et Jamyl osèrent poser des questions en restant toujours un peu éloignés des garçons car ils savaient que s'ils s'approchaient trop d'eux, ils se fermeraient, les rejetteraient et les traiteraient de morveux. Il fallait être habile, faire semblant que ce n'était pas trop important, ne pas renifler à cause de l'odeur âcre de la marijuana, donner l'illusion que tout était normal pour qu'ils oublient leur jeune âge et les traitent en égaux. Surtout, il fallait que leur voix ne tremble pas, la rendre plus grave, ne pas bégayer.

– Est-ce que les généraux vont revenir ? demanda Mahdi.

Il avait l'impression qu'il allait s'évanouir à cause de la fumée.

– Bien sûr, qu'est-ce que tu crois ? répondit Youcef, qui garda un instant le silence avant d'ajouter, plus bas : avec toutes les pattes qu'ils ont dû graisser pour l'obtenir ce foutu terrain…

– Vous allez retourner vous battre contre eux ?

Personne ne lui répondit. Les grands continuèrent à fumer en silence en regardant les écrans de leurs téléphones. Jamyl éternua. Les autres ricanèrent bêtement.

Les enfants dirent au revoir, personne ne s'en soucia. Ils prirent le chemin vers la maison d'Inès, en silence. Ils appelèrent leur amie en criant sous sa fenêtre. Ils n'osaient pas sonner et préféraient hurler son prénom devant chez elle.

Tous les trois s'installèrent sur le trottoir face au terrain vide. Depuis la bagarre, plus personne n'osait jouer au foot. Sans grillage, sans barrière, sans garde, le simple passage des généraux avait réussi à faire de leur terrain un lieu privé.

Inès tenait dans la main un grand bâton avec lequel elle traçait des signes sur la terre mouillée. Des chiffres, des têtes rondes, des lettres. Quelques gamins, sur sa gauche, jouaient à se poursuivre, apparaissant et disparaissant dans les rues.

Il était 17 heures passées le 9 février. Cela faisait six jours que les généraux étaient venus chambouler la vie du quartier. La pluie avait cessé de tomber mais des bourrasques de vent s'étaient levées. Les enfants grelottaient, serrés les uns contre les autres, silencieux.

Il faisait déjà nuit ou presque quand l'idée germa dans leur esprit. Ils commencèrent par se dire que c'était de la folie. Puis que ça ne pouvait pas échouer. Ils débattirent longtemps, de plus en plus excités, firent des calculs dans la boue avec le bâton, échafaudèrent mille plans. Ils pensèrent à en parler aux jeunes. Chacun argumenta en faveur et en défaveur de cette idée. Les pour étaient simples : plus nombreux, plus forts, plus rassurants. Les jeunes s'étaient déjà battus contre les généraux, ils avaient même réussi à leur arracher leurs armes. Les contre se résumaient en un seul point : les jeunes n'avaient pas répondu quand Mahdi leur avait demandé s'ils comptaient continuer le combat et l'un d'eux avait même ricané, il était donc assez plausible que si les trois enfants leur parlaient de leur projet, ils n'auraient pas de soutien voire n'obtiendraient que des moqueries.

À la fin, lorsqu'ils eurent épuisé tous les arguments, qu'ils furent certains d'avoir fait le tour de la discussion, Inès demanda :

– On se lance quand ?

Mahdi répondit :

– Il faut déjà tout rassembler.

Jamyl approuva :

– Nous devons aussi en parler aux autres, aux enfants de l'école, du quartier et même de plus loin, les convaincre de se joindre à nous.

Inès acquiesça. Ils entreprirent de balayer de nouveau tous les trois la liste de ce dont ils avaient besoin. Il y eut un silence qui se prolongea. Inès proposa :

– On peut se donner deux ou trois semaines pour tout trouver. Et on peut commencer en mars.

– Ça semble bien mais on n'est pas un peu dingues quand même, non ? demanda Jamyl.

– Bien sûr qu'on est dingues, répondit Mahdi avec un grand éclat de rire, c'est pour ça que ça va marcher !

Les trois enfants étaient collés les uns aux autres, leur manteau fermé jusqu'au cou, en train de conspirer et de rire.

Dans l'esprit des gens, les enfants ne conspirent pas, les enfants ne luttent pas. Si un seul adulte dans ce pays imaginait trois secondes qu'un petit pouvait échafauder des plans, se battre contre un ordre établi ou quoi que ce soit dans le genre sans être manipulé ou poussé par un grand, voire un gouvernement étranger, les enfants seraient sur écoute, ils seraient suivis, ils seraient arrêtés. On créerait des camps spécialement pour eux.

12

À plusieurs kilomètres de Mahdi, Inès et Jamyl, les généraux Athmane et Saïd buvaient un café avec Mohamed, le père de Youcef. Les épouses des hommes étaient également là, dans la belle maison du général Athmane qui avait tenu à accueillir tout le monde chez lui, en toute simplicité, comme il disait.

Lorsque le général Saïd avait appelé Mohamed sur son portable pour lui proposer de venir chez son ami prendre un café, manger quelques gâteaux, discuter entre hommes de l'armée, il avait beaucoup insisté pour que le colonel à la retraite vienne avec sa femme. « Cela ferait plaisir à nos épouses de la rencontrer, elles prendront le thé entre elles et nous pourrons discuter pendant ce temps, apprendre à faire connaissance. »

C'était une invitation très courtoise. Mohamed s'était senti obligé d'accepter. Avant d'y aller, il passa voir son ami Cherif. Tous les deux rigolèrent comme des collégiens en se remémorant des souvenirs de régiment. Ils osaient à peine lever les yeux quand un général passait dans la caserne et maintenant, voilà Mohamed en route pour la maison de l'un d'entre eux ! Même s'il se targuait de ne pas être épaté par les grades et aimait répéter à l'envi qu'il avait quitté l'armée de son propre chef, qu'il avait pris sa retraite à sa demande et n'avait pas attendu que l'armée l'oblige à partir, *parfaitement monsieur, j'ai décidé de partir tout seul,* il ne pouvait s'empêcher d'être à la fois fier de cette invitation et orgueilleux à l'idée que son fils ait fait assez peur à ces mêmes généraux pour les avoir poussés à ouvrir la porte de leur demeure.

Mohamed mit un costume sombre sur une chemise blanche. Il se rasa soigneusement, cira ses chaussures noires et passa un imperméable. De son côté, sa femme hésita longuement et finit par choisir une robe à fleurs un peu démodée mais qui avait été achetée en Italie et ajouta plusieurs bijoux en or, par peur de paraître trop simple aux yeux des femmes de généraux. Elle portait un collier autour du cou, une paire de boucles d'oreilles en or et en diamants, et deux bagues à chaque main.

Avant de monter dans sa voiture, Mohamed avait fait la morale à Youcef, lui expliquant qu'il allait devoir s'humilier chez le général pour quémander l'abandon des plaintes et qu'il était hors de question qu'il revoie son fils traîner sur le terrain.

– Je t'interdis même de regarder ce fichu terrain. Fais comme s'il n'avait jamais existé, c'est bien clair ?

Youcef avait écouté tête baissée. Au fond de lui, tout au fond, là où se nichaient les idéaux qu'il n'avait pas encore totalement perdus, il savait qu'il ne devait aucune excuse aux généraux mais cela, il n'eut pas le courage de le dire à son père.

Plus l'heure du rendez-vous approchait, plus l'angoisse du couple augmentait. Il semblait si impressionné qu'il en était touchant. Youcef observa le visage de son père qui lui parut plus ridé qu'à l'ordinaire. Il remarqua les yeux cernés de sa mère, son air angoissé. Et le jeune homme s'en voulut de leur causer tant de tracas.

Incapables de patienter plus longtemps, Mohamed et sa femme décidèrent de monter dans la voiture et d'y aller car après tout, il pouvait y avoir des encombrements et il ne s'agissait pas d'être en retard chez les généraux.

Ils arrivèrent bien trop tôt et Mohamed stationna assez loin pour ne pas être repéré par les caméras. Ils patientèrent dans la voiture en faisant mine de discuter, le cœur léger.

Quand ce fut enfin l'heure, Mohamed redémarra sa voiture et roula doucement sur la route menant au portail vert. Ils n'eurent pas besoin de sonner, la porte s'ouvrit devant eux. Un gardien leur fit signe d'entrer dans la résidence et leur indiqua où se garer.

Les deux généraux, accompagnés de leurs épouses, les reçurent à la porte de la maison. Mohamed se précipita pour serrer les mains de ses hôtes avec de grands sourires. Les femmes se saluèrent avec chaleur.

La maison était grande, lumineuse. On s'installa dans un vaste salon, les hommes dans un coin, les femmes dans un autre. Les généraux allumèrent des cigarettes pendant qu'une servante déposait café et gâteaux au miel. Les épouses de leur côté se servaient en thé.

Le général Athmane portait une gandoura blanche alors que le général Saïd avait gardé sa tenue militaire, ce qui lui conférait tout de suite un air de chef. La servante, voile foncé sur la tête, robe d'intérieur large et longue, de vieux chaussons aux pieds, tentait de se faire le plus discrète possible. Personne ne la remercia lorsqu'elle fit le service.

Les épouses des généraux, elles, posaient des tas de questions à la femme de Mohamed sur Dely Brahim et cette dernière tentait d'y répondre comme elle pouvait :

– Est-ce que les voisins sont aimables ?

– Plutôt oui…

– Je vous avoue que nous sommes terrifiées toutes les deux à l'idée d'aller vivre là-bas depuis cette bagarre. On n'en dort plus. On a peur pour nos maris et nos enfants.

– Mais Dely Brahim est un quartier très sûr en temps normal, vous savez…

– Et cette vieille dame à la canne qui habite en face de notre terrain, vous la connaissez bien ?

– Ah, l'ancienne moudjahida, Adila ? Oui, bien sûr, tout le monde la connaît.

– Elle a l'air d'une folle, non ? Je l'ai vue à la télévision l'autre soir, Canal Algérie l'avait invitée pour parler de son association.

– Ah oui, je l'ai vue aussi ! C'est une association qui aide les femmes seules, non ?

– Les femmes battues…

– Voilà, eh bien, je l'ai trouvée très… comment dire, très dure, oui, je crois que c'est le terme. Elle avait l'air franchement méchante.

– Elle ne l'est pas du tout, je vous assure qu'elle est formidable.

– Vraiment ?

– Oui, tout le quartier l'adore et dès qu'elle peut aider, elle n'hésite pas…

– Eh bien, elle n'a pas beaucoup aidé nos maris !

– Je sais que c'est une situation difficile pour vous mais nous ne voulons pas vous causer du tort.

– Vous savez madame, personne ne se rend compte à quel point c'est difficile pour nous de vivre dans un pays où l'ensemble de la population nous déteste.

– C'est vrai. Tout le monde nous déteste. On nous attaque parce que nos maris sont des généraux. Et alors ?

Votre mari est colonel, non ? C'est un grade en dessous, à peine un grade.

La femme de Mohamed pensa que ce grade en dessous signifiait tout de même beaucoup de choses et qu'au-delà du grade, il y avait d'autres différences.

— Parfaitement, et nous aussi on nous déteste parce que nous sommes femmes de généraux. Nos enfants sont insultés. Nos petits-enfants aussi alors qu'ils savent à peine marcher.

— Vous savez ce que c'est... Il s'agit d'enfants, ils jouent depuis toujours au foot sur ce terrain. C'est tout ce qu'ils ont dans le coin... Ils voulaient se défendre, sans doute de manière maladroite mais ça n'a rien à voir avec le grade de vos maris. Ça aurait été des comptables, cela se serait passé de la même manière, je crois.

— Oh, moi je ne crois pas ! Si nos maris n'étaient pas des généraux, on ne les attaquerait pas. Vous ne pouvez pas imaginer ce qu'on doit subir ! Les appels des proches qui vous en veulent parce que vous refusez d'intervenir pour eux. Ils aimeraient quoi ? Que nous passions nos journées à faire sauter des condamnations, à récupérer des permis, à interférer pour des inscriptions à la faculté ?

— Et nous ne vous parlons pas des amis qui appellent parce qu'ils ont besoin d'un associé pour monter telle ou telle affaire. À chaque réponse négative, à chaque fois que nous refusons de transmettre la demande à nos maris, nous sommes malmenées.

— Sans parler des attaques dans la presse. Nos maris sont caricaturés quotidiennement dans les journaux !

— Vraiment mesdames, je vous assure que pour mon fils, ce n'était pas une affaire personnelle... Il s'en fiche des grades...

— Bien sûr que c'est personnel ! Dans ce pays, on attaque en permanence les hauts gradés. Vous savez, la gendarmerie nous a donné des informations sur votre fils. Il paraît qu'il se drogue...

— Mon fils est un garçon honnête ! Quelqu'un de bien !

— Il a agressé nos maris...

— Il en est désolé.

— Nous n'avons pas eu d'excuses pourtant.

— Il... il les fera, je vous assure. C'est un étudiant brillant, il a été emporté dans le feu de l'action...

— Vous savez, madame, nos maris ont acheté ce terrain en toute légalité. Nous avons des actes de propriété. Nous pouvons vous les montrer si vous voulez, nous pouvons même les montrer à votre fils et à cette madame Adila.

— Mais non, ce ne sera pas nécessaire voyons, on vous croit...

— Alors quoi ? Qu'est-ce qu'il faut que nous fassions de plus ? Nous achetons un terrain qu'on nous dit inoccupé, nous y mettons une petite fortune, ah ça, je peux vous le dire, nos maris se font agresser et pourtant, nous vous invitons chez nous, dans notre maison, à prendre le thé, c'est dire à quel point nous sommes des gens simples et peu rancuniers.

— Et mon mari et moi vous en sommes très reconnaissants, je vous assure que nous avons parlé à notre fils, il n'a plus le droit de s'approcher de votre terrain.

— Ah, vous me faites plaisir, je suis heureuse qu'on se comprenne. Nous allons être voisines et c'est bien que nous ayons de bonnes relations.

De leur côté, les trois hommes devisaient sur le pays. Ils refaisaient l'histoire, parlaient des régiments où ils avaient servi, des années à l'étranger, la Russie, l'Angleterre. Le ton était bon enfant. Mohamed se sentait important. Les deux généraux, parmi les plus importants de l'armée, l'écoutaient avec bienveillance et lui témoignaient du respect. Mohamed faisait très attention à parler doucement, les mains jointes. Il avait beau avoir quitté l'armée, le fait de se retrouver face aux plus hauts gradés le déstabilisait. Il était intimidé d'être assis de la sorte, au fond d'un canapé moelleux aux côtés des généraux Saïd et Athmane dont il avait tant entendu parler. Il avait peur d'en faire trop. Les différences de grade se gomment difficilement même une fois revenu à la vie civile. Mohamed devait s'affirmer un peu pour être respecté. Il se redressa, tenta de se tenir droit, d'effacer le sourire figé qu'il savait avoir mais ne tint que quelques instants.

Saïd lui demanda, très poliment :

– Quels sont les axes de votre parti politique ?

– Oh, nous sommes pour une transition démocratique. Nous souhaitons réconcilier le peuple avec la politique. On se définit comme des progressistes mais tout en respectant les traditions. On croit beaucoup à la démocratie : chez nous, les militants votent chaque décision.

Athmane s'exclama :

– Bravo, c'est un bel exemple de démocratie participative. C'est bien qu'il y ait ce genre d'initiative dans le pays. On n'en parle pas assez. Vous voyez, colonel Mohamed, les médias étrangers nous présentent toujours comme une dictature mais avez-vous déjà vu une dictature où on laisse un parti d'opposition se créer en toute tranquillité ? Où deux généraux prennent le café avec un dirigeant de l'opposition ?

Gêné, Mohamed se sentit tout de même obligé de contester le point de vue d'Athmane :

– En toute tranquillité, c'est peut-être un peu exagéré… On m'a mis des bâtons dans les roues : le dossier d'agrément a été « perdu » au moins deux fois, je suis régulièrement suivi et…

Athmane protesta :

– Mais qui n'est pas suivi ? Même moi, je le suis ! Ne vous inquiétez pas pour ça et si un jour, vous avez le moindre problème, appelez-moi, je serai heureux de vous aider. Nous avons besoin d'hommes comme vous.

Saïd approuva :

– C'est l'armée qui vous a aidé à devenir ce que vous êtes. Vous lui devez beaucoup, comme elle vous doit beaucoup. Le pays n'est pas prêt pour une alternance. Nous sortons à peine du terrorisme.

Mohamed, heureux de tous ces compliments, se sentit plus confiant et se permit de contredire Saïd :

– Mon général, le terrorisme a été éradiqué il y a bien une dizaine d'années…

– C'est vrai mais le pays manque encore de stabilité et la population n'est pas prête à changer de régime.

– Peut-être mais c'est notre rôle de la préparer…

Le général Athmane rit de bon cœur :

– Allons, nous n'allons pas nous fâcher. Prenez un autre café et goûtez à ces merveilleux gâteaux, je vous en prie.

Les hommes se servirent puis le général Saïd reprit :

– Vous savez, Mohamed, nous voulons vraiment faire construire nos maisons sur ce terrain. Nous allons y vivre avec notre famille. Nous souhaitons nous investir dans ce quartier et nous serions ravis d'aider à faire en sorte que la cité du 11-Décembre soit plus agréable. Réfléchissez, je suis certain que vous êtes d'accord avec nous pour dire qu'il faut que ces troubles cessent.

Le trajet du retour se fit dans le silence. Mohamed n'était pas mécontent de son après-midi. Sa femme, elle, se sentait humiliée mais elle ne raconta rien à son époux. Chacun d'eux imaginait ce qu'il aurait pu dire ou faire différemment.

Mohamed gara sa voiture dans le garage de la maison et ressortit rapidement. Il appela Cherif pour lui proposer une balade dans le quartier. Cherif se dépêcha de rejoindre son ami, impatient qu'il lui raconte sa visite chez les généraux. Mohamed lui dit tout. La taille de la maison, celle des voitures garées, le gardien à l'entrée mais aussi la simplicité des généraux et leur écoute attentive.

— Je pense que ce que je leur disais les intéressait vraiment, ajouta Mohamed. J'espère qu'ils vont laisser tomber les poursuites. Je suis inquiet pour Youcef.

— Je comprends, Mohamed, je suis certain qu'ils vont vouloir calmer le jeu eux aussi et tout va rentrer dans l'ordre. Mais... dis-moi, à ton avis, qu'est-ce qu'ils entendaient par « nous souhaitons investir dans ce quartier » ?

— Je ne sais pas s'ils ont une idée précise mais si on a les généraux de notre côté, on obtiendra enfin gain de cause après toutes ces années.

— Tu crois qu'ils peuvent faire goudronner nos routes ?

— Bien sûr ! Tu crois que deux généraux ne pourraient pas obliger la mairie à goudronner quelques rues ?

Allons, ils peuvent nous obtenir ça en deux coups de fil !

– J'ai hâte de voir la tête du maire quand les généraux exigeront qu'il s'occupe de nos routes.

En passant devant le terrain de football, Mohamed et Cherif ne firent pas attention aux trois enfants, deux garçons, une fille, assis par terre.

13

Il faudrait réussir à raconter toutes les vilaines histoires, celles dont on a si peu envie de se souvenir, celles qu'on a voulu enterrer au plus profond de soi.

Il faudrait oublier la pudeur, montrer les cicatrices toujours là sur le dos que peu de gens ont vues, les écrire ces mots si difficiles : torture, guerre, indépendance.

Il faudrait ensuite raconter les années noires, ces années de terreur qui nous sont tombées dessus à peine trente ans après l'indépendance. Nommer les choses, écrire sur le terrorisme, sur ces hommes qui ont torturé, tué, violé. Décrire la marche des femmes contre les islamistes. Mentionner ces autres femmes, en face, celles qui étaient contre nous, contre elles-mêmes au fond. Celles qui ne cessaient de nous expliquer que nous étions dévoyées, dans les ténèbres, que nous étions coupables en quelque sorte de légitimer le système algérien.

Elles, elles étaient dans la lumière bien sûr. Elles, elles
avaient des certitudes.

Jamais je n'ai eu de certitudes, moi. Même quand je
me battais pour l'Algérie, j'ignorais si je me battais
avec les bonnes personnes, avec les bons moyens, avec
les bonnes armes. L'instinct, ça oui, j'en ai, mais les
certitudes ?

Il faudra tout dire, être honnête enfin, sinon ce n'est
pas la peine d'écrire. Raconter par exemple ce que je
n'ai jamais dit à personne d'autre que mon mari :
comment cet officier français m'a arrêtée lorsque
j'avais dix-sept ans, comment il m'a torturée pour
avouer. Il y avait bien sûr l'humiliation du corps nu
face à lui et à ses amis qui ricanaient mais il y avait
surtout la peur. La peur, on n'en parle jamais lors-
qu'on évoque la guerre. Pourtant, nous avions peur de
ne pas réussir, d'avoir fait tout ça pour rien, qui sait ce
que donne une révolution ? Une révolution c'est beau,
c'est con et à la fin, c'est souvent triste, avait coutume
de dire mon défunt mari.

Adila s'arrêta d'écrire pour relire ses notes qu'elle prenait dans un carnet noir qui traînait dans le tiroir de son
bureau depuis des années. Elle n'avait jusqu'alors jamais
ressenti le besoin d'écrire ses mémoires ou de parler du
passé. Elle avait toujours préféré le présent et se battre
pour l'avenir, mais depuis quelques mois maintenant,

elle a de plus en plus de mal à marcher, elle est facilement essoufflée et tout son corps semble se cabrer lorsqu'elle s'apprête à sortir de la maison.

Pour la première fois de sa vie, elle est effrayée à l'idée que son passé disparaisse avec elle. Même sa fille ignore presque tout de ce que furent sa jeunesse et celle de son mari. Adila a donc commencé à griffonner des notes, à tenter de se rappeler ce que furent ses journées pendant la guerre d'Algérie, les années comme militante, la vie dans la clandestinité au grand dam de sa propre mère.

Elle y rencontra celui qui deviendrait son mari, ça aussi, elle voulait le raconter parce que ça avait existé, parce que les hommes et les femmes se fréquentaient, parce qu'il y avait des moments de joie, d'abandon, d'excitation. Ils risquaient de mourir à tout moment pour une cause qui était bien plus grande qu'eux.

Plus que raconter simplement une époque, Adila voudrait dire ce que sont devenues ces femmes qui ont milité pendant la guerre avant de voir leurs droits sans cesse grignotés par les hommes mais aussi par des femmes. Elle aimerait parler de son sentiment d'humiliation lorsque les gouvernements successifs n'ont eu de cesse de lui expliquer qu'au fond, elle était un peu une éternelle mineure. Elle voudrait être capable de trouver les mots pour décrire sa rage d'être ainsi rabaissée continuellement, parfois par des hommes qui étaient cachés, apeurés, terrés chez eux pendant la guerre.

La tâche est immense, pense Adila en relisant ses notes.

— La tâche est immense, murmure-t-elle au chardonneret de la famille qui l'observe, mais je le dois à ma fille.

Yasmine, son seul enfant depuis la mort de son fils. Faudrait-il d'ailleurs parler de ce fils dans les mémoires ou taire cette tragédie ? Comment raconter ? Revenir peut-être au commencement, à la naissance de ses enfants. Son mari avait été si heureux, le choix du roi, le choix du roi, ne cessait-il de répéter, un garçon, une fille et ma femme. Et l'Algérie ! Alors oui, l'Algérie avait vingt ans, c'était l'Algérie du président Chadli Bendjedid, quelque chose d'étrange, à mi-chemin entre un pouvoir mafieux et une dictature ridicule. On ne savait pas comment s'en sortir.

On avait tant lutté que nous étions épuisés.

Adila se remémore les queues pendant des heures pour acheter le moindre rien, les magasins vides, la crise économique, ce pays qui se cherche sans jamais réussir à se trouver et partout les mêmes discours politiques : arabité, islam, traditions, socialisme. Ont-ils lutté comme il fallait ? Sans doute que non, reconnaissait Adila, et il sera nécessaire cet examen de conscience dans ses mémoires, il ne faudra pas tomber dans le culte du passé, se rêver héroïne et guerrière, mais dire aussi que pendant des années, la joie, l'ivresse de l'indépendance de l'Algérie suffirent à masquer la dureté des régimes qui se succédaient et puis aussi, il fallait l'avouer, ces deux petits dont elle s'occupait et qui prenaient toute la place.

Adila reprend son stylo et écrit :

Raconter décembre 1991. Revenir aux émeutes de 1988. Celles où on a pu voir des chars de l'armée descendre dans les villes. Les salauds ! Les traîtres ! Oser braquer des chars sur nous. Ce mois d'octobre 88 que nous n'oublierons pas parce que les militaires ont tiré sur nos enfants. On ne pardonnera pas.

Le président Bendjedid annonce une nouvelle Constitution. Du jour au lendemain, l'État autorise la création d'associations, de partis politiques, d'organes de presse. Se rappeler l'euphorie dans laquelle on avait vu paraître les premiers journaux libres en Algérie. Les caricatures si drôles. Les éditos écrits de main de maître. J'en ai gardé certains, collés dans un cahier d'écolier.

Mais ne pas oublier : la méfiance aussi envers les nouveaux partis politiques. Tous ces hommes et si peu de femmes. Et puis, un an plus tard, le parti du Front islamique du salut faisait son apparition. Il faut avouer : je n'ai pas tout de suite compris la menace. Je n'y croyais pas.

Où étais-je ? Que faisions-nous ?

Les Algériens étaient épuisés, appauvris à cause de la crise économique, hargneux à l'égard d'un gouvernement qui ne croyait pas à la démocratie et les cantonnait à un rôle de mineurs.

Le frère de mon mari allait de plus en plus souvent à la mosquée. Il me racontait les grands prêches, m'apportait des cassettes audio qu'il voulait que j'écoute car elles pouvaient « m'aider ». M'aider à quoi ? lui rétorquais-je en riant. Mon mari, lui, ne riait pas. Et son frère cessa bientôt de venir chez nous.

La ville était, oh, comment dire ? Agitée ? Non, ce n'était pas ça. L'ambiance était lourde, tendue, pesante. On sentait que quelque chose se passait. Les histoires des gens se ressemblaient tristement. Partout, il était question de précarité, de misère morale, de difficulté à se loger, se marier, se soigner. On pestait de plus en plus fort contre l'État. Et eux étaient là. Avec leur barbe. Ils tendaient la main à tous ceux qui étaient dans le besoin.

Le pouvoir nous parlait si mal. On nous accusait de tous les maux. À la moindre contestation, on assurait que nous étions du côté des pays étrangers, que nous cherchions à déstabiliser l'Algérie.

Lors des premières élections législatives pluralistes, les gens votèrent massivement pour ce nouveau parti islamiste. Je me souviens de ma peur ce jour-là lorsque j'appris que le parti qui prônait un État à l'iranienne avait remporté pas moins de 188 sièges, loin devant le

Front des forces socialistes qui ne réussit que difficilement à en obtenir 25. Quant au FLN, il arrivait péniblement à la troisième place avec 15 sièges.

Où étais-je ? Je m'occupais de mes enfants. Ils prenaient toute la place. Avons-nous fait notre maximum ? Ou la lutte pour l'indépendance ne nous avait-elle pas finalement épuisés ? Était-ce encore à nous de nous battre ? Au fond, on pensait que l'indépendance marquait la fin du combat, or il allait falloir pourtant reprendre les armes.

Ce fut le choc au sein du gouvernement algérien. Personne ne pensait possible une telle victoire du Front islamique du salut. Après avoir annoncé à toutes les télévisions du monde que les élections étaient libres et intègres, les ministres et les responsables politiques enchaînèrent les interviews pour critiquer ces mêmes élections, insistant sur le fait que des zones d'ombre subsistaient, que l'abstention avait été grande et que ces résultats ne reflétaient en rien l'opinion des Algériens. Je me souviens à quel point ils étaient ridicules. Que sont-ils devenus, tous ? Toujours là, planqués dans des ministères, des ambassades, des entreprises publiques.

On connaît la suite mais je dois la raconter. Deux courants qui s'affrontent au sein du pouvoir : le président Chadli Bendjedid qui accepte le choix des urnes et souhaite négocier avec les islamistes. C'était un faible de toute manière. En face, son Premier ministre et les *généraux qui refusent toute idée d'une Algérie islamiste et n'envisagent pas une seconde de partager le pouvoir avec le Front islamique du salut ou avec qui que ce soit d'autre, d'ailleurs. Les partis politiques, les journaux indépendants et une majorité des élus, industriels et artistes s'opposent également au verdict des urnes. Tous crient à la menace islamiste. L'Iran en Algérie? Jamais. Non, jamais, mais bien sûr, nous sommes mal à l'aise. Nous avons voulu la démocratie mais les urnes nous donnent une réponse qui nous déplaît et nous voici dans la rue pour protester. Nous sommes mal à l'aise, je me répète mais l'ai-je dit à l'époque? Non, car on avait réussi à nous convaincre qu'il n'y avait que deux camps possibles: les islamistes ou les militaires.*

Pourtant, quelques partis politiques appelèrent à une marche le 2 janvier 1992. Nous crions: «Ni État intégriste, ni État policier!» Nous espérions convaincre les Algériens et les abstentionnistes de voter différemment lors du second tour. Nous ne savions pas que c'était trop tard, que les dés étaient pipés et que les généraux ne comptaient pas prendre le risque d'un deuxième vote contre eux. Le 11 janvier 1992, soit cinq jours avant le second tour, dans le journal télévisé de 20 heures, le président Chadli Bendjedid, livide, lit difficilement une lettre de démission face aux caméras. On raconte que des généraux sont sur le plateau, que

l'un d'entre eux le tient en joue avec son arme. Mais on
racontait alors tant de choses!

Le Front islamique du salut dénonce un coup d'État
et appelle à faire des grèves pour ne pas se faire confis-
quer le résultat des urnes. Les blindés descendent dans
les rues de la capitale. C'est le début de la violence.
C'est le début de la décennie noire, rouge. C'est le
début de la guerre. C'est le début des massacres. Je me
suis transformée en bouclier. J'avais mes deux petits
autour de moi. Il était hors de question que l'Algérie
sombre. Hors de question que mes enfants grandissent
dans la peur. J'ai fermé les yeux sur les dérives du
pouvoir. C'était de nouveau la guerre. Les bombes, le
couvre-feu, la suspicion. Je voulais me convaincre
qu'on allait trouver une solution rapidement, mais ce
fut si long.

Il faut un nouveau président, quelqu'un qui peut nous
rassembler. Une figure légitime et charismatique. Un
homme intègre. On réfléchit, des noms circulent. On
finit par se mettre d'accord: on appelle Mohamed
Boudiaf, ancien chef historique de la guerre, vivant en
exil au Maroc, depuis l'indépendance. On le convainc
que son pays a besoin de lui. Il atterrit à Alger le
16 janvier 1992. L'état d'urgence est proclamé
le 9 février. Le Front islamique du salut est interdit
le 4 mars. Mohamed Boudiaf est assassiné le 29 juin à
Annaba par l'un de ses gardes du corps.

Ben Bella renversé par un coup d'État, Boumediene mort empoisonné, Bendjedid obligé de démissionner, Boudiaf assassiné par son propre garde du corps. C'est le chaos.

Et moi, terrée dans notre appartement à Kouba, priant chaque soir pour voir revenir mon mari qui a rejoint l'armée, qui traque les intégristes. Moi qui joue avec les enfants, qui tente de les empêcher de se rendre compte qu'ils grandissent dans le chaos. On installe des barreaux aux fenêtres, on n'ouvre plus la porte sans demander l'identité de la personne qui sonne, on ne parle plus aux voisins dans l'escalier.

À la télévision, sur les chaînes françaises, je vois que certains grands chefs islamistes se sont exilés en Europe. Ils appellent les Algériens à prendre les armes contre cet État corrompu aux mains des généraux mais les attentats ne ciblent pas uniquement l'État. Ce sont surtout les plus pauvres et les plus démunis qu'on attaque.

Le Groupe islamique armé vient de naître. On bascule dans la terreur. Massacre de villages entiers, bombes dans les marchés, les bus, les cafés. Assassinat des artistes, journalistes et intellectuels. Mais aussi les femmes, les enfants. Les terroristes n'épargnent personne. Les gendarmes, les militaires, les juges, tout ce qui peut représenter le pouvoir ou l'autorité, quel que

soit son grade ou son niveau de responsabilité, est égale-
ment menacé de mort.

Mon quotidien n'était alors plus fait que d'attente et
de peur.

Ceux qui ne fuient pas dans d'autres pays vivent
cachés, sans cesse menacés. On nous conseille de démé-
nager. Le quartier n'est pas sûr. Des cités militaires,
des immeubles comme des barres HLM, accueillent les
militaires et leur famille. Un mur les enferme, l'entrée
est contrôlée par des soldats, les hommes ne sortent
jamais sans leurs armes.

On ne part pas. Il y a une trentaine d'années aussi,
on me conseillait de partir, de me cacher.

L'armée quant à elle mène une politique de purge. À
la sortie des mosquées, les fidèles sont arrêtés en masse,
interrogés durement, torturés, emprisonnés. Des mil-
liers de jeunes disparaissent du jour au lendemain. Il
n'y aura pas de procès, pas de corps. Jamais. Et il fau-
dra continuer à vivre avec ça.

Ai-je protesté à l'époque ou me suis-je tue ? Ai-je aidé
ces femmes qui continuent à attendre le retour d'un
mari, d'un fils, d'un père ? Les ai-je soutenues ?

Et puis il y aura aussi le fils. Mon fils.

Adila s'arrête. Souligne « mon fils ». Essuie les larmes
qui commencent à couler. Le chardonneret chante dans
sa cage.

Elle reprend :

En décembre 1996, mon fils est étudiant en journalisme. Être journaliste en Algérie dans les années quatre-vingt-dix, c'est comme être résistant pendant la guerre. C'est exactement la même chose. On ne les a pas assez remerciés. Certains ont fui à l'étranger, beaucoup sont morts, beaucoup restent et tentent de lutter comme ils peuvent, n'oubliant pas la promesse qui leur a été faite : « Ceux qui combattent l'islam par la plume périront par la lame. » Ils sont d'ailleurs des dizaines à être assassinés comme Tahar Djaout tué par deux balles dans la tête dès 1993 ou Saïd Mekbel abattu en 1994 dans un restaurant à côté de son journal.

Dimanche 11 février 1996, je me souviens. C'était le 21ᵉ jour du mois de ramadan. Il pleuvait. Février à Alger, quelle poisse. Je déteste ce mois. Mon fils était à la maison de la presse qui accueillait depuis 1990 la plupart des journaux indépendants. Il s'y était rendu pour déposer un CV, cherchant un stage dans l'une des rédactions. Il venait d'arriver lorsqu'un camion contenant 300 kilos de TNT explosa. À 15 h 45. Depuis, j'ai reconstitué la scène tant de fois dans ma tête :

Le camion est rempli de bombes et garé devant la maison de la presse. Mon fils arrive à l'accueil. Il se présente. Il sourit sans doute. La bombe explose. Il meurt. Sur le coup ? J'espère. Je ne le saurai jamais.

Les locaux de trois journaux, Alger républicain, Le Matin *et* Le Soir d'Algérie, *sont détruits. On annonce une cinquantaine de blessés et 17 morts. Il y en aura plus, bien sûr. Le toit s'est effondré en partie. La fumée empêche de bien voir. Il y a du verre partout car les vitres ont explosé. Et plus rien : ni ordinateurs, ni fichiers, ni dossiers. Les gens hurlent au milieu des décombres.*

Certains corps sont méconnaissables. C'est l'enfer pour eux, pour moi. C'est l'enfer et plus jamais notre vie ne sera la même.

J'ai gardé quelques coupures de presse. Voilà. Omar Belhouchet, directeur du quotidien El Watan, *écrit : « Cet immeuble baptisé du nom de celui qui fut le premier martyr de la liberté de la presse en Algérie, Tahar Djaout, n'est plus que débris. »*

Cela faisait six années que nous subissions des attentats des Groupes islamiques armés. Six ans que les journalistes tentaient de maintenir leurs journaux malgré les attaques, les menaces, les intimidations. Le Soir d'Algérie, *qui a perdu journalistes, locaux et matériel, est accueilli par des confrères. Grâce à leur aide, un numéro spécial post-attentat est imprimé. Je m'en souviens bien. Acheter ce journal, c'était une manière pour beaucoup d'entre nous de dire qu'on continuait à lutter. On résiste bien sûr mais dans les larmes et dans la tristesse la plus absolue.*

Il n'est pas naturel pour un parent d'enterrer son enfant. Jamais.

Après la mort de mon fils, nous avons déménagé. Il nous fallait quitter Kouba et les souvenirs heureux. Nous avons pris nos affaires et notre peine et avons acheté une petite maison à Dely Brahim, cité du 11-décembre-1960.

Peu de nos voisins savent à quoi fait référence cette date du 11 décembre 1960 qu'ils inscrivent pourtant à chaque fois qu'ils doivent renseigner leur adresse. Quelques-uns se rappellent vaguement que ce jour-là avaient eu lieu de gigantesques manifestations pour l'indépendance à Alger et dans plusieurs autres villes mais à part ça ?

Trois histoires, trois versions.

La première veut que les manifestations aient été organisées par le FLN pour faire pression sur la France à une semaine des délibérations de l'assemblée générale de l'ONU sur la question algérienne.

La deuxième qu'elles aient été le résultat d'un soulèvement populaire spontané causé par le ras-le-bol de ceux qu'on appelait les indigènes à l'égard du pays colon. Mais certaines personnes affirment que les Algériens sont sortis dans la rue suite à l'appel d'un fou lancé depuis un banc public face au Monoprix situé dans le quartier de Belcourt.

Je me souviens que le matin du 11 décembre 1960, ma mère avait tenté de m'empêcher de sortir. Nous nous étions violemment disputées et je l'avais repoussée pour me dégager de son emprise. Elle était tombée et c'est sous ses malédictions que j'avais passé la porte de la maison. C'était la dernière fois que je la voyais. Je ne suis jamais revenue.

Dans la rue, les Algériens criaient « vive le FLN » ou encore « Algérie indépendante ». Larbi Ben M'hidi avait très tôt compris l'importance des grandes manifestations populaires. Il avait eu cette phrase plusieurs années auparavant : « Jetez la révolution dans la rue et le peuple la ramassera. » Le peuple a entendu. Il crie son désir d'indépendance à la face des gendarmes, des militaires et des Européens.

Le quartier de Belcourt était noir de monde. Nous avions envahi les quartiers européens. Des militaires français cachés dans les immeubles nous tiraient dessus depuis des fenêtres. Les journalistes étrangers présents sur place étaient entourés, protégés. Il fallait qu'ils puissent comprendre ce qui se passait pour raconter ensuite au monde entier ce que nous vivions. On emmenait les blessés et les cadavres. On réconfortait comme on pouvait les veuves, les enfants devenus orphelins en quelques minutes. On avançait, on arrivait devant le ravin de la femme sauvage. C'est là que j'ai embrassé pour la première fois celui que j'allais épouser quelques années plus tard. À deux pas d'un Européen qui se faisait égorger…

Dans la Casbah, les femmes poussèrent des youyous toute la nuit. On s'organisait comme on pouvait pour distribuer des vivres. Du pain bien chaud, des oranges. Je me cachais avec mon futur mari et nos amis dans les sous-sols, les caves et parfois dans des appartements aux persiennes fermées.

Très vite, les autres villes suivirent le mouvement. Oran, Constantine, Annaba, partout, les Algériens sortaient pour réclamer le départ de la France. Quelques jours plus tard, l'ONU approuva l'autodétermination et la nécessité d'une sortie de crise rapide.

Dès notre arrivée à Dely Brahim, j'ai adopté un chardonneret. J'en avais offert un à mon fils lorsqu'il était tout petit et je me souviens encore de sa tristesse à sa mort. Le chardonneret, une des rares traditions transmises par ma mère… Je pris l'habitude de m'asseoir à côté de lui une fois par jour et de le regarder. L'oiseau me fixait à travers sa cage, chantait parfois, croquait ses graines. Ça suffisait à m'aider à aller mieux.

Mon mari, lui, fut très vite trop souffrant pour continuer à travailler. Il restait des heures au lit à fixer le plafond et à réciter à voix basse des sourates. Les amis passaient à la maison, tentaient de lui parler. Il ne répondait pas et à la fin, il ne voyait plus personne.

Que resterait-il d'autre à raconter ? se demande Adila.
Peut-être revenir à l'enfance.

Est-ce que tout commence avec la mère ? J'espère que non car ce serait une sacrée responsabilité et la mienne était de mauvaise vie comme on disait. Elle était terrifiée que je puisse suivre cette voie.
À douze ans, j'eus mes règles pour la première fois. Ma mère s'assit à côté de moi. Elle me fixa quelques secondes. J'étais tellement mal à l'aise, dans mon corps, face à elle qui me scrutait ainsi. Je baissais la tête, avec l'impression confuse d'avoir fait quelque chose de mal. Du sang coulait entre mes cuisses et j'avais l'impression que quand je me relèverais du matelas où nous étions assises, je trouverais une mare entière. Est-ce que tous ces litres que je pensais perdre allaient finir par me tuer ? Je n'osais pas poser la question.
Ma mère finit par me demander :
— Est-ce que tu sais ce que ça signifie avoir ses règles, Adila ?
Mal à l'aise, je répondis :
— Oui... je vais perdre du sang tous les mois, voilà... et il faudra que je fasse attention à ne pas me tacher.
— Oui, c'est bien ça, mais ça signifie aussi que tu es devenue une femme. Tu n'es plus une enfant, tu ne le

seras plus jamais et ta vie comme tu l'as vécue jusqu'à présent va entièrement changer. Pour toujours.

– Ah bon ?

– Oui.

– Vraiment pour toujours ?

– Oui, malheureusement.

Elle ne me dit plus rien pendant le reste de l'après-midi et le soir, avant qu'elle ne sorte, elle me fit de nouveau asseoir à côté d'elle. Elle reprit :

– Tu sais que ton père est parti quand je suis tombée enceinte.

– Oui.

– Tu ne le connaîtras jamais, tu le sais ?

– Oui maman…

– C'était un moins-que-rien.

– Oui…

– Un lâche, tu m'entends ?

– Oui maman.

– Est-ce que tu as envie d'avoir la même vie que moi ?

– Heu…

– Réponds, as-tu envie d'élever seule un enfant ?

– Je ne sais pas maman…

– Non, tu n'en as pas envie. Répète : je ne veux pas avoir la même vie que toi.

– D'accord… Alors, oui, enfin, non, je ne veux pas…

– Tu ne veux pas quoi ?

– Je ne veux pas… avoir la même vie que toi.

— C'est ça. Tu sais que je travaille beaucoup Adila ?

— Oui, maman.

— Tu m'entends rentrer parfois très tard, cassée en deux, n'est-ce pas ?

— Oui...

Ces nuits-là, je restais éveillée jusqu'au retour de ma mère, sur le matelas posé par terre. Je n'étais encore qu'une enfant mais déjà j'étais révoltée par la vie que devait mener ma mère.

— Tu sais, certains jours, je ne peux pas me relever, j'ai mal partout, mais je me relève quand même parce qu'il le faut bien et que je dois m'occuper de toi, faire le ménage, retourner travailler.

— Oui...

— Oui, je sais que tu sais tout ça mais ce que tu ignores c'est que tout a commencé avec mes règles, comme toi aujourd'hui. Ma mère ne m'a rien dit mais elle aurait dû le faire alors moi, je ne veux pas commettre les mêmes erreurs. Il faut que tu fasses attention. Tout le temps. Tous les jours et à chaque moment de ta vie, d'accord Adila ?

— D'accord maman.

— Tu me le jures ?

— Oui, je te le jure.

— À quoi vas-tu faire attention ?

— À tout, maman.

— Oui, à tout mais surtout aux hommes.

— *Aux hommes ?*

— *Oui ma fille. Tu sais pourquoi ?*

— *Non.*

— *Parce que maintenant que tu as tes règles, ils vont te regarder.*

Cette phrase me terrifia :

— *Mais tout le monde va le savoir, que j'ai mes règles ?*

— *Les hommes peuvent le deviner. Ils le sentent. Je veux que tu fasses très attention à leurs regards, Adila. Aucun homme n'a le droit de te toucher,* me dit-elle *sur un ton très tranchant. Je ne le permettrai pas.*

Que pouvais-je répondre ? J'avais la tête baissée et j'attendais que cette conversation se termine au plus vite, mais ma mère voulait être certaine que j'avais bien compris :

— *Est-ce que tu sais ce que ça signifie lorsqu'un homme touche une femme ?*

Je fis oui de la tête, même si je l'ignorais.

— *Bien, me voilà rassurée. Je te laisse te reposer. N'oublie pas de remplir la buvette du chardonneret, il n'a plus d'eau le pauvre.*

— *Oui maman.*

— *Tu es sûre que tu as bien compris ce que je t'ai dit ?*

— *Je te jure que oui.*

— *Tu sais Adila, on n'habite pas n'importe où. On vit dans une ville qui a ses propres règles. Je l'ai toujours dit.*

– Oui, maman.

– Cette ville peut te gober si tu ne fais pas attention. Comme elle m'a gobée.

– Je ferai attention maman, je te le jure. Alger ne me gobera pas. Je ne me laisserai pas faire.

– Et aucun homme ne te touchera, n'est-ce pas Adila ?

– Non maman, aucun homme, jamais.

– C'est bien, ma petite, alors je peux partir rassurée. À tout à l'heure.

– À tout à l'heure, maman.

Adila reposa son stylo et ferma le carnet. Il fallait qu'elle se repose. Elle avait trop écrit, trop remué de souvenirs pour aujourd'hui. Elle comprenait pourquoi elle avait toujours préféré le présent. Son passé était rempli de nœuds. Elle emporta la cage du chardonneret dans la cuisine et elle l'installa près de la fenêtre.

– Voilà, ici, tu seras bien mon petit.

14

Mohamed et Cherif étaient essoufflés. Ils avaient traversé à pied toute la cité du 11-Décembre pour atteindre la grande rue. Ils hésitèrent mais finirent par prendre à gauche et marchèrent quelques pas avant de héler un bus. Ils montèrent, achetèrent des tickets et se tinrent aussi droits que possible. Mohamed murmura à Cherif :

– Je connais un colonel qui n'avait pas le permis. Ce n'était pas très grave puisqu'il avait un chauffeur mais il fut mis à la retraite. Le premier jour, il prend un bus pour aller au marché. C'était la première fois qu'il en prenait un depuis, oh, sans doute les années soixante-dix !

– Et ?

– Un policier monte dans le bus et le bouscule en passant. Le colonel s'agace mais le policier se contente de ricaner. Alors, le colonel lui dit : « Je suis un citoyen, vous me devez le respect. » Le policier devient tout blanc et se confond en excuses : « Ah pardon, pardon, je ne savais pas que vous étiez un citoyen. »

– Il ne savait pas ce que signifiait « citoyen » n'est-ce pas ?

– Non, il ne savait pas, en effet !

Les deux hommes éclatent de rire. En ce vendredi matin, ils se rendent au marché de Cheraga à quelques kilomètres de Dely Brahim. Pour une fois, ils ont décidé de ne pas y aller en voiture pour se dégourdir les jambes et éviter de chercher une place de stationnement pendant des heures.

Dès que le bus s'arrête devant l'entrée du marché, les deux hommes sautent. Chacun d'eux cache à l'autre une grimace de douleur. Arthrose et sciatique les handicapent quelque peu mais ils font semblant d'être en pleine forme. Le trafic des voitures est intense et la pluie fine qui tombe rend la route glissante. Les deux hommes traversent la route en zigzaguant entre les voitures qui filent à toute allure, indifférentes aux deux hommes qui tentent d'éviter les grosses flaques d'eau causées par les trous dans la chaussée. Enfin, ils pénètrent dans le marché couvert de Cheraga.

Ils font le tour des stands, regardent les prix des pommes de terre, des tomates, des bananes. Cherif fait remarquer à son ami :

– Les prix ont encore augmenté…

– Oui, je ne sais pas comment les gens vont s'en sortir.

– Allons chez le boucher, il me faut des biftecks.

Le boucher de Cheraga connaît bien les deux colonels qui viennent régulièrement chez lui. Il les salue joyeusement. Son tablier est déjà taché de sang. Aujourd'hui, il est accompagné d'un jeune homme au teint pâle :

– Bonjour les colonels, je vous présente mon fils.

Les deux hommes adressent un sourire chaleureux au jeune homme qui se contente d'un simple signe de la tête.

– Ne faites pas attention à lui, il est de mauvaise humeur. Je l'ai forcé à m'accompagner pour me donner un coup de main mais il aurait préféré dormir toute la matinée et jouer sur Internet.

– Ah ces jeunes ! Heureusement qu'on ne compte pas sur eux pour changer le monde, hein ! répond Mohamed.

– Ça c'est sûr que ce n'est pas mon fils qui fera la révolution demain ou alors, il la fera sur Internet, n'est-ce pas ?

Le fils ne dit rien mais ses joues se colorent sans qu'il soit possible de savoir s'il rougit de colère ou de honte.

– Dis donc, demande Cherif, toi aussi, tu as augmenté tes prix, non ?

– Pas le choix, j'achète plus cher, je vends plus cher ! Que voulez-vous…

– Mais on ne va plus rien pouvoir acheter bientôt !

– Tiens, je vais vous raconter une histoire à vous qui étiez dans l'armée, cela devrait vous plaire. Il y a une dizaine d'années, un homme très élégant vient me demander des biftecks pour six personnes. Je les lui taille à la perfection, vous me connaissez. Pendant que je suis là à m'échiner sur ma viande, l'homme regarde partout, tout tendu, mal à l'aise. Sérieusement, je me suis demandé s'il n'était pas recherché par la police ou quelque chose comme ça tant il avait l'air stressé. Mais vous imaginez, vous, un homme recherché par la police qui se rendrait au marché pour acheter des biftecks ?

Cherif et Mohamed secouèrent la tête. Le fils du boucher, lui, levait les yeux au ciel.

– Donc, je lui donne ses biftecks, il se détend enfin, me remercie et me tend un billet de deux cents dinars. Moi, j'attends qu'il me donne le reste mais lui se contente de rester planté devant moi en me fixant, l'air agacé. Au bout d'une minute, je finis par lui demander : « Ben alors monsieur, vous allez me payer ? Il y a des clients qui attendent derrière vous ! » Vous savez ce qu'il me répond ?

Les deux colonels secouèrent de nouveau la tête. Le fils, lui, ne réagit pas, tout occupé à se ronger les ongles.

Il me dit : « Comment ça ? Je viens de vous donner un billet de deux cents dinars ! C'est à vous de me rendre la monnaie. » Il croyait qu'il pouvait acheter six bons biftecks pour moins de deux cents dinars !

– Mais il sortait d'où ce type ? demanda Mohamed.

– De chez vous ! Parfaitement, de l'armée ! C'était un général qui venait d'être mis à la retraite d'office. Cela faisait plus de trente ans qu'il n'avait pas fait les courses. Son chauffeur s'occupait du ravitaillement et apportait tout dans la grande maison de fonction que le général occupait. La dernière fois qu'il avait acheté de la viande, c'était dans les années soixante-dix ! Il n'avait aucune idée du prix des choses et il était venu faire tout le marché de la semaine avec uniquement deux cents dinars en poche.

Mohamed et Cherif éclatèrent de rire. Le boucher poursuivit :

– J'ai dû le faire asseoir sur un tabouret le temps qu'il reprenne ses esprits. Il n'arrêtait pas de me répéter : « Ce n'est pas possible, ce n'est pas possible, mais comment font les gens pour manger ? » J'étais partagé entre l'envie de lui mettre ma main dans la figure et de le consoler. Avant de partir, il m'a remercié et m'a confié qu'il était très inquiet parce que sa femme allait lui faire une scène lorsqu'elle le verrait revenir le couffin presque vide.

15

Quand le général Athmane arriva vers 10 heures du matin au siège de la sécurité, tous les hommes sur son passage se mirent au garde à vous. Il rentra dans le bureau du directeur qui lisait le journal du matin, assis dans un fauteuil très imposant sous le cadre du président de la République. Les deux hommes se saluèrent. Le directeur de la sécurité montra à son visiteur la caricature en dernière page sur laquelle figuraient deux énormes généraux en train de rouler sur une route neuve avec comme titre : « Dely Brahim : Peut-être qu'au fond un général ne sait pas conduire sur une route cabossée ». Athmane souleva un sourcil et laissa apparaître un rictus. Les journalistes s'étaient bien sûr emparés de l'affaire, trop heureux de pouvoir taper sur des généraux. Maudite soit la presse indépendante ! Tous les journalistes étaient manipulés par des ennemis : la France, l'Arabie saoudite, le Maroc, les démocrates, les laïques ou les islamistes. Le général entra tout de suite dans le vif du sujet :

— Cher ami, on ne peut plus continuer comme ça. J'ai besoin que vos hommes interviennent.

— Je crois savoir que la gendarmerie a reçu le jeune homme qui est à l'origine de cette affaire, non ?

— Il ne s'agit pas d'une affaire mais d'une agression. Ce garçon m'a pris mon arme. La gendarmerie l'a déjà convoqué, en effet, mais n'a pas encore réussi à identifier les deux lascars qui l'accompagnaient, ce que j'ai du mal à comprendre. Comment est-ce possible ?

— Nous n'avions pas de dossier sur ce garçon, avant cette histoire, il n'était connu de nos services que du fait des activités politiques de son père.

— Faites comme d'habitude : déterrez les histoires scabreuses, passez leurs téléphones et ordinateurs au peigne fin, allons, je connais vos moyens…

— C'est délicat. Le père est déjà surveillé et nous n'avons jamais réussi à trouver quoi que ce soit sur lui. Quant au fils, à part fumer quelques joints, il n'y a rien non plus.

— Cela m'est égal, je veux avoir de quoi le tenir lui et ses parents. Je ne suis toujours pas certain d'ailleurs que tout ça ne soit pas une cabale menée par le parti d'opposition de son père.

— Je ne crois pas. Je pense que sans le vouloir, vous avez pris le jouet d'un gamin qui s'est défendu. Je ne le défends pas, bien sûr, mais je ne crois pas qu'il y ait plus derrière cette histoire.

Athmane était de plus en plus agacé :

– On ne peut pas laisser des généraux de notre niveau se faire ridiculiser ainsi, sans quoi n'importe quel voyou se croira le droit de nous attaquer.

– La gendarmerie, la police, l'ensemble de mes services et la justice vont faire le maximum. Nous pouvons faire condamner ce jeune mais êtes-vous certain de le vouloir ? Le fils d'un colonel, d'un opposant envoyé en prison par deux généraux pour une petite fronde sur un terrain de football ?

– Ce n'était pas une petite fronde et ce terrain nous appartient. Nous l'avons acheté avec notre argent. On a toujours réagi lorsqu'il y avait agression contre l'armée, la police, la gendarmerie ou la sécurité. Mes hommes sont toujours prêts à vous protéger. Pourquoi refusez-vous d'intervenir ?

– Je vais vous montrer quelque chose.

Le directeur de la sécurité tourna son écran d'ordinateur vers le général Athmane et lui indiqua une vidéo :

– C'est sur tous les réseaux sociaux. La moudjahida Adila qui vous accuse de vous accaparer le terrain qui appartient à la communauté. Des milliers de personnes l'ont déjà regardée.

Athmane s'apprêtait à protester mais son ami l'interrompit :

– Je sais, je sais bien que vous avez un acte de propriété mais cette affaire commence déjà à prendre de l'ampleur. Si vous voulez un bon conseil : faites profil bas, ce terrain est à vous, personne ne vous empêchera d'y construire vos villas. Le jeune Youcef doit être mort de peur à l'idée qu'on l'embarque, il n'osera plus rien faire. Ses deux amis ne vont pas revenir traîner autour de votre terrain par peur d'être reconnus. Laissez faire, cela va se tasser tout seul.

Athmane lança un petit sourire sarcastique à son ami :

– Les temps ont bien changé. Depuis quand laissons-nous faire ?

– Depuis que le cours du pétrole a dégringolé, que les réseaux sociaux ne nous permettent plus d'empêcher les gens de parler, commenter, dénoncer. Depuis que tout le monde a un téléphone portable avec lequel prendre des photos et des vidéos. Oui, cher ami, les temps ont bien changé et seuls ceux qui le comprennent peuvent survivre.

Athmane se leva pour partir. Il avait confiance dans les paroles du directeur de la sécurité. Ce n'était ni un lâche, ni un peureux. S'il lui conseillait de laisser le temps faire les choses, c'est qu'il savait que c'était la meilleure solution, mais cela le mettait mal à l'aise. Décidément, le général se sentait de moins en moins en sécurité dans son pays.

Les deux hommes se connaissaient depuis une vingtaine d'années. Chacun avait des dossiers sur l'autre, ce qui créait un étrange climat de confiance. Le directeur de la sécurité avait dans un coffre plusieurs documents prouvant que le général Athmane avait manœuvré pour faire obtenir à l'entreprise de son frère plusieurs grands chantiers de BTP. Athmane de son côté avait réussi à faire exempter du service militaire les quatre fils du directeur de la sécurité. Raison invoquée : pieds plats. Il arrivait aussi à lui fournir chaque été un bungalow dans un complexe maritime réservé exclusivement aux militaires.

Une fois dans sa voiture, le général appela sa voyante et lui demanda de venir au plus vite pour une consultation d'urgence.

Dès qu'il fut seul, le directeur de la sécurité fit venir son assistant et lui signifia ses ordres en faisant attention à choisir les bons mots. L'assistant âgé d'une trentaine d'années avait arrêté l'école après le brevet. Il n'était pas particulièrement brillant. Il était laid avec son visage cireux et ses joues ravagées par l'acné. Ses cheveux crépus étaient secs comme de la paille et le fait d'y avoir mis du gel depuis ses huit ans les avait figés définitivement en petites crêtes laissant apparaître le cuir chevelu. Non, il n'était pas brillant, ni beau, ni même sympathique, mais il était parfait pour exécuter des ordres et approuver tout ce que son chef disait. Il était détesté de tous.

— Tu es sûr d'avoir compris ce que je souhaite ?

— Oui monsieur le directeur, je ferai tout ce que vous m'avez demandé.

— Merci, je sais que je peux compter sur ta discrétion.

— Bien sûr, bien sûr, jamais un mot même pas à ma femme et pourtant je vous assure qu'elle me questionne beaucoup sur mon travail mais comme je lui dis toujours : « mon travail, c'est top secret, mon directeur, c'est comme Dieu, jamais je ne le trahirai ».

— Merci, va et ferme la porte derrière toi s'il te plaît.

— Bien sûr monsieur le directeur, merci de me confier cette mission.

16

« Occuper le terrain ? » avait répété Jamyl. Il dévisagea Inès et Mahdi, intrigué, un peu effrayé, et resserra les pans de son manteau. Ils étaient assis sur le trottoir face au terrain. Il faisait froid et humide. Ils avaient rapproché leurs petites têtes pour échafauder leur plan.

Le lendemain, de petits papiers s'échangèrent durant les heures de classe. Les enseignants remarquèrent, étonnés, que les enfants tenaient de longs conciliabules dans la cour de récréation au lieu de se courir après, de se cacher pour fumer, de s'attraper dans tous les sens. Ils ne cherchèrent pas à savoir ce qui se passait. Ça leur faisait des vacances, ce calme, ils n'allaient pas s'en plaindre ! Les enfants, eux, manigançaient et épiloguaient sans fin. Cela dura quelques jours avant qu'ils se remettent à chahuter dans la cour.

Trois semaines étaient déjà passées depuis la bagarre avec les généraux. Jamyl était enfermé dans la salle de bains. Il se regardait dans le miroir de l'armoire à pharmacie qui reflétait son visage joufflu entouré de cheveux bouclés. Il l'ouvrit et s'empara de pansements, de bandes de gaze, d'une paire de ciseaux, de pastilles pour la gorge, d'aspirine et d'alcool. Il avait l'impression qu'il préparait une expédition, une fugue même, à l'autre bout du monde alors que bon sang, il n'allait partir qu'à quelques mètres de chez lui. Il fourra les médicaments dans un grand sac à dos en toile qui avait appartenu à son père.

– Jamyl ? appela Mounira, la femme de ménage, en toquant à la porte de la salle de bains. Est-ce que ça va ? Tu es malade ? Veux-tu que j'appelle ta grand-mère ?

Le garçon s'empressa de fermer le sac à dos sans répondre et s'agenouilla pour ouvrir le placard qui se trouvait sous l'évier. Des dizaines de boîtes de médicaments, de pansements, deux ou trois paires de ciseaux. Sa grand-mère était obsédée par l'idée de manquer de quelque chose et la maison était remplie de conserves, de produits cosmétiques ou encore de couvertures. Jamyl remplaça méthodiquement tout ce qu'il venait de prendre et pensa qu'il aurait été plus intelligent de se servir directement dans la réserve. C'était toujours comme ça avec lui, la bonne idée arrivait après coup. Mahdi le surnommait « Jamyl la seconde chance ».

– Jamyl ? répéta la femme de ménage.

Il ouvrit la porte. C'était un garçon de petite taille, un peu grassouillet, d'une timidité maladive. Il ne se sentait bien qu'avec Mahdi et Inès. Il essayait de cacher derrière lui le sac à dos. La femme de ménage fit mine de ne s'apercevoir de rien. Jamyl lui sourit. Mounira était une grosse femme très laide qui effrayait les enfants du quartier. Lorsqu'elle marchait, le parquet craquait et les vitres vibraient légèrement. Elle était née grosse et n'avait cessé de continuer à prendre du poids, encouragée par sa mère et ses tantes qui voyaient dans son poids un signe de bonne santé et de bénédiction. Elles lui donnaient de l'eau sucrée depuis sa naissance, lui préparaient des plats à base de pâtes et de sauce chaque soir et n'étaient satisfaites que si elle avait avalé deux assiettes. Quand elle eut vingt ans, elle était tout simplement monstrueuse. Pour faire le ménage, elle enlevait son voile et portait une robe d'intérieur de couleur saumon légèrement transparente, ce qui dégoûtait les grands-parents de Jamyl mais personne n'osait lui faire de remarque : c'était la meilleure femme de ménage de tout Alger. Jamyl, qui la connaissait depuis sa naissance, savait qu'elle était d'une gentillesse infinie et qu'il pouvait compter sur sa discrétion. Il mit un index devant sa bouche. Elle sourit et le laissa filer dans sa chambre.

Jamyl s'allongea sur son lit et fixa le plafond en pensant à Inès. C'était la fille la plus chic de l'école, pensa-

t-il. Pas la plus belle, sans doute, mais elle était diffé-
rente des autres. Ce n'était pas une petite peste. Elle ne
s'habillait pas, ne se comportait pas et n'agissait pas
comme une fille et cela lui plaisait énormément. Et puis,
elle jouait au football. Elle était même très douée et
pouvait battre tous les garçons du coin. Il était d'ailleurs
déjà arrivé qu'après un match, des garçons un peu énervés d'avoir perdu insultent ou même tentent de frapper
Inès, vexés qu'une fille soit plus forte qu'eux. Jamyl et
Mahdi s'étaient à chaque fois interposés.

Oui, Inès était vraiment chouette et en classe, Jamyl
avait du mal à ne pas la fixer même s'il faisait très attention à ce que ça ne se remarque pas de peur des moqueries. Il rêvait souvent qu'il l'invitait chez lui pour
regarder un match sur le grand canapé du salon et que,
comme dans les films, il passait un bras autour de ses
épaules. Mais ce n'était qu'un rêve parce que même s'il
se retrouvait sur un canapé avec elle, jamais, au grand
jamais, il n'oserait passer le moindre bras autour de
l'épaule d'Inès et aussi, il y avait un autre problème, la
grand-mère de Jamyl détestait Inès car elle détestait
la mère et la grand-mère d'Inès et sa haine ricochait sur la
petite fille.

— Des femmes peu respectueuses des coutumes,
Jamyl, tu devrais faire attention, ce ne sont pas des personnes comme il faut.

– Mais tu sais, la grand-mère d'Inès est une ancienne moudjahida.

– C'est ce qu'elle dit, qu'est-ce qu'on en sait au fond…

– Elles sont très gentilles.

– Beaucoup trop, oui. Tu ne devrais pas passer autant de temps avec elles. La mère d'Inès est divorcée. Elle fume. Elle est tout le temps dehors.

– Et alors ?

– Et alors, c'est mal. Et si elle fait ça, Inès aussi le fera plus tard.

– Inès est vraiment chouette, tu sais grand-mère.

– C'est ça.

Cette conversation, Jamyl l'avait souvent eue, car malheureusement sa grand-mère aimait répéter les choses désagréables. Elle était la commère du quartier. Mais l'idée même d'arrêter de voir Inès révoltait Jamyl. Il n'en était tout simplement pas question. Sur son lit, il pensa au sourire lumineux de la fillette. Il ferma les yeux. On voit mieux dans le noir lui avait un jour confié sa mère. C'est bien vrai.

On frappa à la porte et Jamyl sortit de sa rêverie. Son grand-père entra et s'assit sur le lit. C'était un vieux monsieur qui perdait un peu la tête depuis quelque temps. Il embrassa son petit-fils sur le front et lui sourit. Jamyl l'adorait bien qu'il soit vieux et qu'il ait conscience que ce n'était pas tout à fait normal qu'il ne puisse pas voir sa mère aussi souvent qu'il le souhaitait.

— Regarde, j'ai retrouvé une vieille photo de ton père quand il avait ton âge. Tu vois à quel point tu lui ressembles ?

— Oh oui !

— Tu la veux ?

— Bien sûr, je te remercie grand-père.

— Est-ce que tu te souviens encore de lui ?

— Non, pas vraiment…

— Tu n'avais qu'un an, c'est vrai… Je ne comprendrai jamais ce qu'il faisait dans ce bus d'étudiants… Il avait une voiture, il avait terminé ses études depuis si longtemps…

— Je sais grand-père…

— Et pourquoi ce bus ? Ce bus en particulier conduit par ce terroriste ?

— Je ne sais pas grand-père…

— J'allais le voir chaque soir à l'hôpital militaire. Ta grand-mère voulut m'obliger à rentrer me reposer un peu, mais tous les soirs j'y allais… Pas question de laisser mon fils seul dans une chambre d'hôpital. Tu sais, ce furent les pires jours de ma vie… Personne n'est prêt à perdre son fils, personne, ce n'est pas dans l'ordre naturel des choses.

— Je suis désolé grand-père.

— Je l'ai vu petit à petit sombrer dans le coma.

Le grand-père de Jamyl, incapable de se retenir, se mit à pleurer.

– J'arrivais le soir, les yeux rouges et ta grand-mère me demandait comment ça allait. Je répondais, ça va, ça va. Elle y allait tous les matins. Le soir, elle me disait que ça irait, qu'il allait survivre. La mort de ton père me terrifiait, me rendait fou. Tout mon pouvoir, mes relations, mon argent n'y pouvaient rien. Il allait mourir et j'étais impuissant. Je n'ai pas pleuré le jour où on l'a mis sous terre. Je n'avais plus de larmes. J'étais terrorisé ensuite. Il n'était plus là et cela ne voulait rien dire.

– Je comprends grand-père…

– Ta grand-mère l'ignore, mais avant de mourir, ton père s'est réveillé de son coma.

Jamyl le savait, son grand-père lui avait raconté cette histoire plusieurs fois mais il ne dit rien et attendit, figé sur le lit.

– Oui, il s'est réveillé. Il était sonné à cause de la morphine. Il ne savait pas qui j'étais ni où il était. Je crois qu'il faisait un rêve ou un cauchemar. Je lui tenais la main. J'essayais de le faire venir vers moi. Je lui parlais doucement. J'avais peur qu'il referme les yeux.

– Ça va aller grand-père…

– Il n'a pas refermé tout de suite les yeux. Il était épuisé mais il a eu un bref moment de lucidité, assez pour me dire qu'il était terrifié à l'idée de mourir, que ça lui faisait vraiment peur.

147

— Grand-père…

— Je ne l'ai jamais dit à ta grand-mère, cela lui ferait tant de peine.

— On ne lui dira rien.

— Merci mon petit. Tu es tout ce qui me reste de mon fils. Viens, viens que je t'embrasse sur le front.

— J'arrive, grand-père.

17

Mahdi fouillait dans le placard où sa mère rangeait draps, couvertures et couettes. Tout était très organisé chez eux et le moindre tissu était plié au carré, comme à l'armée. Sur le côté intérieur de la porte du placard, une feuille était soigneusement collée, sur laquelle était inscrit le nombre exact de couvertures, draps, couettes et tout le reste.

– Quelle maniaque ! grogna le garçon.

Il se dégageait une odeur de vieille laine et de naphtaline très désagréable. Mahdi tentait de respirer par la bouche et d'être le plus silencieux possible. Sa mère était capable de sentir un mauvais coup à des kilomètres à la ronde. Il se demandait parfois si elle ne lui avait pas mis une puce dans le corps, capable de le géolocaliser, d'analyser la moindre de ses émotions et de lire dans ses pensées. Cette manière qu'elle avait de toujours tout savoir et de connaître chaque détail de sa vie était insupportable. Il fallait ruser pour réussir à conserver un petit espace d'intimité avec une mère pareille à la maison.

Mais elle n'arriverait pas à deviner le plan cette fois-ci. Elle ne l'empêcherait pas de faire ce qu'il voulait.

Mahdi tira trois couvertures et les rangea au fond d'une valise en toile. Il ajouta trois sacs de couchage de l'armée qu'il avait retrouvés un peu plus tôt dans le grenier. Il tendait l'oreille au cas où son père arriverait et lui demanderait ce qu'il fichait à farfouiller dans le placard. Lui, ça allait, on l'entendait arriver de loin. Le fauteuil crissait tellement qu'on avait le temps de se préparer, de cacher ce qu'on avait à cacher et de se composer un air innocent.

Ça y est, Mahdi avait tout rassemblé. Il repoussa en arrière une mèche de cheveux qui le gênait et referma doucement le placard. Contrairement à l'ensemble des garçons de sa classe, il a les cheveux longs. S'il lui arrive de les attacher en queue-de-cheval, il préfère généralement les garder libres. De dos, il arrive qu'on le confonde avec une fille. Sa mère est persuadée qu'il fait cela pour l'embêter. Elle rêve de se saisir d'une paire de ciseaux en pleine nuit et de tout lui couper d'un seul coup.

Les cheveux longs c'est pour se donner un côté un peu rock en fait, un peu voyou, un peu fou aussi.

C'est pour faire peur aux autres enfants.

L'an dernier, un gamin de la cité, petit-fils d'un riche homme d'affaires, s'était moqué de son père et de son fauteuil roulant. Ni une, ni deux, Mahdi avait sauté sur le gamin et lui avait asséné un gros coup de poing. Le petit était tombé par terre, complètement sonné. Il en avait oublié de pleurer. Mahdi l'avait terminé à grands coups de pied, malgré les hurlements du gamin. Il était comme fou, ses cheveux dansaient au gré des coups. Jamyl avait tenté de séparer les deux garçons, en vain. Cela avait fait tout un tas d'histoires entre les adultes. Insultes, menaces, cris. Et puis ça avait fini par se calmer et on avait renoué avec les salutations d'usage.

Plus aucun enfant n'osa faire la moindre remarque sur le fauteuil roulant du père de Mahdi.

Le garçon prit le sac contenant les affaires dérobées et retourna sur la pointe des pieds dans sa chambre où il cacha le tout sous le lit.

Dans le salon, Naïm, le père de Mahdi, enleva ses lunettes de vue, éteignit la télévision puis roula jusqu'à sa chambre. Avec difficulté, il réussit à se glisser au côté de sa femme qui ronflait très fort. Les pilules prises une heure plus tôt commencèrent à faire effet et il s'endormit à son tour sans avoir eu le temps de replonger dans ses idées noires. Il fut réveillé le lendemain à 6 heures, comme chaque jour. Il entendit sa femme passer un peignoir et sortir de la chambre sur la pointe des pieds. Quelques minutes encore avant le bruit de la tuyauterie et de la douche. Elle revint pour s'habiller et se parfumer devant le miroir de sa coiffeuse. Oh, très léger le parfum. Elle était dans l'armée et ne fréquentait que des hommes du matin au soir. C'était déjà bien assez difficile de rester crédible, il ne fallait pas avoir l'air trop féminine ou plus personne ne respecterait ses ordres.

Elle s'approcha du lit, embrassa délicatement son mari sur le front et s'en alla. Comme chaque matin, Naïm garda les yeux fermés. Il détestait la regarder se préparer et filer ainsi, libre, pendant que lui était bloqué dans ce lit avec ces atroces moignons à la place de tibias et de pieds. Il avait de plus en plus de mal avec le regard plein de pitié de sa femme, ses yeux verts braqués sur lui qui le scannaient, tentant de trifouiller le moindre recoin de son cerveau. Ils étaient tombés amoureux très jeunes et à l'époque, Naïm avait surtout aimé ce regard vif, direct, cette manière qu'elle avait de poser ses yeux sur lui, pas juste en passant, pas comme font la plupart des gens, mais en s'arrêtant vraiment. Maintenant, c'était exactement ce qu'il ne supportait plus. Une fois sa femme partie, il s'installa péniblement dans son fauteuil et roula jusqu'à la salle de bains. Il se dévisagea dans le miroir au-dessus du lavabo. Il avait l'air d'un vieux monsieur avec ses cheveux blancs, ses sourcils gris et les rides qui étaient apparues un matin, s'installant pour la vie. Malgré les années, il ne s'y faisait toujours pas. À ce corps, à cette nouvelle tête. Le pire, ce n'est pas d'être bloqué dans un fauteuil, pensa-t-il, c'est tous ces matins à regarder un visage qui n'est plus le mien. *Comme si j'étais devenu un autre après l'attentat.*

Il y avait bien les yeux qui étaient restés les mêmes mais en plus vifs et ils étaient désormais toujours humides. Aucun médecin n'avait réussi à lui expliquer pourquoi ses yeux pleuraient continuellement. Il avait testé des dizaines de remèdes de grand-mère, mis des gouttes pendant des semaines, en vain. C'est comme le mauvais goût dans la bouche. Il ne partirait jamais. Il s'était battu au début. Consultation de spécialistes, brossage intensif des dents avec du dentifrice à la menthe, bains de bouche deux fois par jour. Rien n'y faisait. Il faut s'habituer lui avait dit le médecin. S'habituer à ne plus marcher, à pleurer et à être dégoûté par absolument toute nourriture.

Les semaines qui suivirent l'attentat, il était resté très calme. Il pensait qu'il allait mourir très bientôt, que son corps était en train de s'éteindre et cela le réconfortait. Face au miroir, les souvenirs reviennent. Il est incapable de se protéger contre les images du passé. C'est comme s'il devait chaque jour en passer par là : ouvrir un carton de photos, les regarder de la première à la dernière avant de pouvoir passer à autre chose.

Il y a d'abord la photo d'un jeune homme très pauvre qui grandit en Kabylie. Le père est mort à la guerre. La mère trime chaque jour pour réussir à obtenir quelques légumes et nourrir les enfants. Puis, il y a l'arrivée à

Alger, la grande ville, pour faire ses études de droit à l'université. Il s'engage dans l'armée à peine son diplôme en poche. Toute sa vie, il a voulu servir son pays, mais lorsqu'il arrive dans les casernes, il se sent perdu dans un étrange et effrayant régime. Il y a là un type qui veut devenir général et qui n'hésite pas à écraser tous ceux qui font mieux ou plus vite, un autre, une vraie brute, qui tente de tripoter tous les nouveaux venus, un jeune qui a perdu presque toutes ses dents, gâtées par le sucre, et sans un sou pour se soigner, et qui vous montre ses gencives vides le soir avant de dormir, pour que vous regardiez si une nouvelle dent ne serait pas en train de pousser par miracle. Il y a également un très gros gars qui pue tant des pieds que tous lui interdisent d'enlever ses bottes le soir dans le dortoir. Il vient de l'ouest de l'Algérie et les autres l'appellent le Marocain, ce qui le fait enrager. Il y a les soirées à fumer et à boire en cachette. Il y a les blagues qu'on fait au sergent comme faire exploser un ballon au milieu de la nuit juste sous sa fenêtre et s'enfuir en courant. Il y a la faim aussi qui jamais pendant les deux ans de l'instruction militaire ne vous lâche parce que de hauts gradés viennent se servir dans les réserves prévues pour les soldats. Il y a des soirs de ramadan où il faut se contenter d'une soupe très claire, d'un morceau de pain et d'un bout de gras de viande accompagné de patates. Sauf lorsqu'il y a une inspection ou des journalistes, et là, bien sûr, c'est dîner de fête.

Naïm s'accroche, termine son instruction. Il est muté dans l'armée de terre. Les années quatre-vingt-dix, les années de plomb. Personne ne saura jamais ce que c'est. Les terroristes qui ont parfois à peine vingt ans, aux yeux fous, convaincus que leur combat est juste et que la mort est la bienvenue si elle sert leur cause. Comment lutter contre ça ? Les descentes dans le maquis. Les tirs qui pleuvent sur vous. Les arrestations. Les interrogations.

« On n'était pas prêts, on n'était pas du tout prêts… On nous avait appris à lutter contre une attaque extérieure, la France, le Maroc, n'importe quelle armée étrangère, mais pas à combattre des gens de l'intérieur, de chez nous », confiera Naïm à son psychologue quelques années plus tard.

Les années de plomb, ce sont des départs dans les maquis après le couvre-feu. Ce sont les cadavres de ces hommes habillés en Afghans, à longue barbe, aux yeux cernés de khôl. Ce sont les grenades trouvées sur place, les corans à la couverture bleue. Ce sont les photos qu'il faut prendre pour documenter, archiver, ne jamais oublier alors qu'on ne rêve que de ça, oublier. Ce sont des affiches placardées dans tout le pays avec des photos en miniature de tous ceux recherchés par l'armée, la police, la gendarmerie.

Les années de plomb, ce sont aussi les femmes qu'il faut délivrer. Celles qui ont été enlevées, engrossées, torturées parfois pendant des années. Celles qui reviennent chez elles enceintes avec un enfant, deux enfants. Celles à qui il faut faire face après un assaut et dont il faut affronter la terreur passée et à venir. Ces femmes qui hurlent, vous sautent dans les bras, vous tendent ces bébés, fruit d'un viol, d'un terroriste, d'une horrible captivité. Où sont-ils ces enfants aujourd'hui ?

Et puis, il y a ce dernier jour où Naïm s'est senti comme un petit garçon muni d'une épée de bois face à un horrible monstre à plusieurs têtes. Il s'est battu comme il a pu mais le monstre était plus fort et il est reparti avec les deux jambes du petit garçon.

Après le genou, plus rien.

Lorsque Naïm s'est réveillé à l'hôpital et qu'il a appris ce qui lui était arrivé, il a hurlé, hurlé pendant des heures. Le lendemain, ses cheveux étaient devenus entièrement blancs. Depuis, il est en arrêt maladie. Des années d'arrêt maladie à tenter de soigner le corps et la tête. Le jour où sa femme a tenté de jeter ses bottes de l'armée, il l'a insultée. C'était la première fois. Elle en est restée abasourdie mais n'a rien dit. Pas un reproche. Les bottes sont toujours là, dans son placard. Bien cirées. Il se rappelle l'impression de puissance qui montait en lui lorsqu'il les enfilait.

Quelques mois après ce drame, au début des années 2000, l'armée lui offrit des vacances à la plage, à Oran. Il arriva, heureux de cette escapade au bord de la mer, imaginant déjà pouvoir profiter du soleil, regarder des enfants nager. On ne l'avait pas prévenu de ce qu'il allait trouver. Une plage entière avait été dédiée aux gens comme lui. On s'y retrouvait entre militaires mutilés. Une jambe manquante par-ci, un bras par-là. Les deux mains pour l'un, juste un pied pour l'autre mais c'est déjà trop. Étrange endroit où circulaient une centaine de jeunes hommes en fauteuil roulant.

18

Inès avait mis la main sur une grande tente qui appartenait à sa mère. Elle se demanda quand et surtout où sa mère avait pu camper par le passé mais chassa la question de son esprit et se contenta de l'emporter et de la cacher sous son lit.

La petite fille s'installa ensuite dans le canapé du salon pour regarder un match. Elle adorait le foot. Elle y jouait depuis toute petite. Son père lui avait appris alors qu'elle n'avait que trois ans, et lorsqu'il partit, elle continua à s'entraîner même par les journées les plus chaudes de l'été. Et en plein milieu de l'après-midi, alors que tout le monde faisait la sieste, on pouvait entendre, si on tendait bien l'oreille, le son de ses dribles devant la maison ou, plus distinctes, les frappes du ballon contre le mur.

Oui, elle aimait le foot, et elle aimait jouer avec Mahdi et Jamyl. Elle aimait courir sur le terrain, courir comme lorsqu'on fuit les monstres, comme si on allait s'envoler.

Elle aimait s'asseoir sur le bord du terrain pour regarder les matchs des grands avec les autres petits, crier avec eux, se prendre la tête dans la main. Elle aimait refaire le match après avec ses deux amis, imiter les tirs, décrire longuement les buts manqués. Elle s'imaginait parfois assistant à une finale de coupe du monde dans l'un des grands stades européens qu'elle voyait à la télévision. Elle imaginait la foule à côté d'elle, se voyait taper du pied, applaudir, crier. L'hymne national retentit à la télévision. Elle augmenta le son. Sa mère vint s'asseoir à côté d'elle et la prit dans ses bras.

Yasmine avait rencontré le père d'Inès dans un bar du centre-ville. Elle y était venue fêter son anniversaire avec ses amis. C'était il y a déjà quinze ans. Amine travaillait pour un grand cabinet d'avocats. Yasmine et lui discutèrent longuement de leur travail, de leurs frustrations, de ce que signifiait faire du droit dans un pays qui le bafouait sans cesse. Yasmine portait une blouse blanche sur un pantalon moulant. À cette époque, elle n'avait pas encore peur du noir, des ténèbres, de tout le reste. Elle voyageait sans cesse, partait en vacances, connaissait tous les bars d'Alger, et rentrait parfois un peu éméchée chez ses parents chez qui elle continuait d'habiter, n'ignorant pas à quel point la société algérienne pouvait être d'une violence inouïe à l'égard des femmes vivant seules. Elle éprouvait à cette époque une grande admiration pour l'une de ses amies qui habitait seule un petit appartement à Cheraga. Les voisins avaient tenté de déposer plainte au commissariat pour tapage nocturne ou prostitution car elle accueillait régulièrement des amis des deux sexes, au grand dam des autres locataires de l'immeuble. Ils ne la saluaient pas dans les escaliers, ne répondaient pas à ses bonjours, interdisaient à leurs enfants de la fréquenter et voyaient en elle ce qu'elle était : une femme joyeuse, jeune, libre.

Le lendemain de leur rencontre, Amine racontera à ses collègues masculins qu'il avait rencontré une fille avec « un cul à se rouler par terre ». Ils se marièrent deux ans plus tard et Yasmine tomba enceinte immédiatement. Amine ne se fit pas à leur vie commune. Juste après la naissance d'Inès, il fut licencié pour manquement à l'éthique et ne cessa de ruminer cette histoire, parlant de complot, jurant qu'il n'avait rien à se reprocher. Il répétait que cela ne servait à rien de se battre parce qu'en Algérie « tout le monde, sans exception, était corrompu, pourri jusqu'à la moelle ». Il passait ses journées à la maison, sur le canapé, face à la télévision, jouant à des jeux vidéo et buvant dès midi.

Il partit un matin, sans laisser d'adresse, abandonnant femme et enfant.

Yasmine trouva du travail au sein d'une entreprise publique de l'industrie pétrolière grâce à sa mère qui fit jouer toutes ses relations. Un matin, on l'appela et on lui demanda de venir avec ses papiers d'identité. Elle était embauchée comme juriste et rejoignait ainsi la cohorte d'enfants de militaires, de moudjahidines, de diplomates ou d'hommes d'affaires qui constituent la majeure partie des cadres de cette société.

C'était une entreprise très moderne, l'une des fiertés du gouvernement algérien. On la montrait aux visiteurs étrangers. Elle était située dans un beau quartier d'Alger. L'immeuble est à la pointe de la technologie, se plaisait-on à marteler. Seulement, un prestigieux cabinet de conseil français avait relevé qu'il y avait trois personnes pour l'équivalent d'un poste à chaque étage et dans tous les services. La direction remercia le cabinet de conseil, le paya avec un gros chèque et demanda à sa secrétaire d'archiver le rapport. On n'allait pas se mettre à virer des enfants d'honnêtes Algériens juste parce qu'il n'y avait pas assez de travail.

Les journées passaient lentement. Certaines femmes prirent l'habitude d'apporter des légumes pour les écosser ou les éplucher au bureau, c'était toujours ça de gagné le soir en rentrant. Les hommes, de leur côté, reluquaient des filles sur Internet, avec des rires graveleux. Ils tentaient des approches sur les réseaux sociaux auprès de jeunes femmes qu'ils ne connaissaient pas :

– Salut.

– Salut, t'es là ?

– Réponds-moi.

– Salut.

– Belle photo de profil.

– T'es là ?

– Pourquoi tu ne réponds pas ?

– Réponds.

– Je suis d'Alger et toi ?

– Ajoute-moi !

Dès son arrivée, la directrice juridique demanda à Yasmine :

– Je remarque que vous n'avez pas d'alliance, vous êtes célibataire ?

– Divorcée.

– Ah, rassurez-vous, vous allez être très courtisée ici ! *Incha'allah* vous retrouverez un mari dans l'année.

Yasmina se contenta de répondre avec un sourire poli. La directrice lui fit faire le tour des bureaux et la présenta à ses collègues.

Elle fut très vite l'objet de tous les cancans de l'entreprise et attira rumeur sur rumeur. Elle était divorcée et pour une partie des hommes cela signifiait qu'elle ne refusait rien. Pour une partie des femmes, cela voulait dire qu'elle était de mauvaise vie, car quelle femme divorcerait aussi jeune ? Ensuite, elle fit une erreur qui la condamna aux yeux de tous. Il faut savoir que l'entreprise mettait à la disposition de ses salariés une navette qui les raccompagnait chez eux. Elle partait à 17 heures chaque jour sauf pendant le mois de ramadan où elle démarrait à 16 heures car les horaires étaient raccourcis. Cependant, les femmes pouvaient quitter l'entreprise dès 15 heures.

À 14 h 55, toutes les femmes se levaient d'un bond, éteignaient les ordinateurs et allaient s'installer dans la navette où elles passaient une heure à faire la causette en épluchant des légumes. L'une d'elles préparait même ses *bouraks* dans le bus.

Seule Yasmine restait dans son bureau jusqu'à 16 heures. Tout le monde au sein de l'entreprise en déduisit qu'elle n'avait pas de légumes à préparer car dans sa famille, on ne devait pas jeûner.

Et un matin, une de ses collègues aperçut un paquet de cigarettes dans son sac à main.

La voici ainsi définie : divorcée, fumeuse, frivole, facile, mécréante. On commença à sourire sur son passage et parfois même à rire franchement derrière son dos. Lorsqu'elle arrivait devant la machine à café, on se taisait. Elle essaya de se faire accepter notamment auprès des femmes mais ses tentatives maladroites ne firent que susciter davantage de rumeurs à son sujet.

Elle finit par se faire convoquer par la directrice :

– Yasmine, je ne suis pas du tout contente de votre intégration. Vous ne vous mêlez pas aux autres, vous avez la réputation d'être très prétentieuse et de ne pas aider vos collègues. Plusieurs d'entre eux se sont plaints de vous.

Yasmine protesta mais la directrice la coupa net :

– On vous a embauchée pour faire plaisir à votre mère, que Dieu la garde le plus longtemps possible en vie, mais vous devez faire attention. Ici, nous sommes une grande famille. Nous ne pouvons pas avoir quelqu'un comme vous qui ne fait pas d'efforts, qui traite les autres avec arrogance. Cela ne fonctionnera pas. J'espère que vous avez bien compris. Vous allez devoir changer votre comportement au plus vite.

Tous les salariés de l'entreprise furent au courant de l'entretien entre Yasmine et la directrice. On se moquait désormais ouvertement.

Quelques jours plus tard, alors qu'on arrivait presque à la fin du ramadan, juste après 15 heures, toutes les femmes avaient disparu de l'entreprise. Seule Yasmine était encore là, dans son bureau. Plongée dans la lecture d'un rapport, elle ne remarqua pas tout de suite la présence d'un homme dans l'embrasure de la porte. Il s'agissait de Mourad, l'un de ses collègues du service juridique. C'était le fils d'une grande famille bourgeoise d'Alger qui avait fait fortune dans la confiserie. Il était adoré des directeurs car toujours d'accord avec eux. Depuis un an, il était fiancé à une jeune femme qui travaillait aussi dans cette société, un étage plus bas. Mourad fixait maintenant les seins pointus de Yasmine, tendus dans le chemisier blanc à boutons-pression. Il entra, referma doucement la porte derrière lui et s'approcha de la jeune femme. Elle releva la tête, le regard interrogateur. Il se pencha sur elle et lui caressa les seins. Elle tenta de le repousser en criant :

— Non, lâche-moi, ça ne va pas !

Mourad, loin d'être découragé, plaqua sa main sur la bouche de la jeune femme pour l'empêcher de crier et commença à déboutonner son chemisier.

Une porte claqua dans le couloir, des bruits de pas firent sursauter Mourad qui bondit hors du bureau, laissant Yasmine haletante, écarlate, effrayée.

Les jours suivants, Yasmine évita Mourad. Elle ne répondit pas à ses mails de plus en plus obscènes et quand elle le croisait, elle lui lançait un regard haineux et pressait le pas. Un matin qu'elle passait devant lui alors qu'il était avec sa fiancée, il osa lui lancer :

— Madame Yasmine, un petit bonjour quand vous passez c'est la moindre des choses. Je sais que personne n'est assez bien pour vous dans cette entreprise mais soyez polie s'il vous plaît.

La fiancée éclata de rire. Yasmine se dépêcha de rejoindre son bureau où elle s'effondra en larmes. Elle ne se confia à personne sur cette agression, pas même à sa mère mais à partir de ce jour, elle se mit à quitter le bureau en même temps que les autres femmes et à avoir peur de l'obscurité. Elle retrouva ses terreurs d'enfant lorsqu'elle hurlait la nuit, persuadée qu'un monstre vis-

queux se cachait sous son lit. Elle se remit à avoir le
cœur qui battait fort dès qu'elle éteignait la lampe sur sa
table de chevet. La peur revint et s'installa pour de bon
en elle.

19

Les trois enfants avaient réussi à récupérer ce qu'ils voulaient. Pendant trois semaines, ils entreposèrent de la nourriture sous leur lit. Mahdi surtout mit de côté des dizaines de boîtes de conserve estampillées *Armée algérienne* que le chauffeur de sa mère apportait par palettes entières. Il y avait principalement du corned-beef dont les trois enfants raffolaient. Il dissimula aussi de l'eau, du lait, des biscuits et tout ce qui n'avait pas besoin d'être conservé dans un réfrigérateur.

Chaque matin, il emportait des produits dans son cartable et les confiait à Inès qui les cachait dans la minuscule remise du jardin. Elle savait que ni sa mère ni sa grand-mère ne s'y aventuraient.

Plus personne ne parlait du terrain de football à la cité du 11-Décembre-1960. Il n'y avait eu finalement que peu d'articles de presse, les journalistes s'en étaient vite désintéressés. Sur les réseaux sociaux, beaucoup de personnes rappelaient que les jeunes qui avaient attaqué les généraux étaient des enfants de colonels et qu'il s'agissait sans doute d'une guerre de clans. Des photos de ces mêmes jeunes avaient circulé, des montages grossiers où on les voyait boire de l'alcool, fumer des joints ou embrasser d'autres garçons.

Les généraux avaient maintenu leur plainte mais avec l'ordre à la gendarmerie de ne rien faire pour le moment. Youcef savait qu'il était en sursis et qu'au moindre faux pas, il serait traîné dans un tribunal et envoyé en prison. Personne ne se leurrait : on ne se battrait pas et on ne prendrait pas fait et cause pour des enfants de hauts gradés qui passaient leur journée à fumer de la marijuana, conduire les voitures offertes par leur père et se dandiner dans des clubs de la capitale.

Tout ça, c'étaient des histoires entre militaires, qu'ils se débrouillent !

Youcef n'avait pas remis les pieds sur le terrain, pas plus que ses amis. Son père lui avait confisqué sa voiture. Il l'emmenait lui-même à l'université et le surveillait comme un enfant.

Il n'y avait plus aucun match, cité du 11-Décembre-1960. Le terrain était ouvert aux quatre vents mais personne n'avait plus osé ne serait-ce que s'en approcher. Après tout, le choix était simple pour les jeunes, aussi simple que brutal : continuer à protester et aller en prison ou se taire assez longtemps pour se faire oublier et laisser les généraux lancer le chantier.

Les généraux étaient satisfaits. Ils savaient que les jeunes ne feraient plus d'histoires. Les épouses commençaient à feuilleter les catalogues de meubles et à imaginer leur future maison.

Mohamed, sans être totalement rassuré, était plus détendu.

La pluie avait cessé de tomber et les températures remontaient. Le terrain était de nouveau sec.

Les travaux devaient démarrer au printemps, le temps de valider les plans avec un architecte qu'ils avaient spécialement fait venir d'Espagne.

20

Le vendredi 25 mars 2016 commença ce qu'on appellera la révolte des petits de Décembre. À l'aube, alors que les premières lueurs du soleil éclairaient le terrain mais que tout le monde dormait encore, Inès, Jamyl et Mahdi filèrent de chez eux sur la pointe des pieds. Jamyl avait eu l'impression d'être un fugitif. Il s'y était pris à trois reprises avant de quitter son lit. Seule la promesse faite aux deux autres avait réussi à le faire sortir en douce. Les trois amis transportèrent la nourriture du cabanon au terrain, préparèrent leur campement et montèrent le muret de briques. Ils installèrent leurs sacs de couchage, mirent les bouteilles d'eau à l'abri dans une glacière, et ramassèrent des pierres qu'ils entassèrent dans un coin. Après quoi, ils s'emmitouflèrent dans les couvertures même s'il faisait déjà bon.

Les adultes ne s'inquiétèrent pas tout de suite. Les enfants avaient l'habitude de se réveiller tard le week-end. À 10 heures, Yasmine sortit sur le pas de la porte pour fumer une cigarette et aperçut sa vieille tente installée sur le terrain de football. Tout autour, un fragile mur de briques avait été élevé, surmonté de tessons de verre et d'un drapeau de l'Algérie attaché à un bâton. Elle resta debout, devant la porte, interloquée, oubliant la cigarette qui se consumait entre ses doigts. Mahdi l'aperçut et prévint les deux autres. Inès pensa à ce que lui répétait depuis toujours sa grand-mère : « Ne cède pas aux adultes, ne cède jamais aux peurs des grands. » Elle fixa sa mère longuement, sans baisser les yeux. Les trois enfants se tenaient désormais devant la tente, légèrement inquiets mais fiers de ce qu'ils s'apprêtaient à accomplir.

Au cours de la matinée, la rumeur se répandit que des enfants s'étaient installés sur le terrain et plusieurs adultes arrivèrent des maisons alentour. Ils fixaient les petits, l'air abasourdi, en parlant à voix basse. Les heures passaient. Les enfants ne bougeaient toujours pas. Les adultes non plus. Rien ne les empêchait pourtant de s'approcher d'Inès, de Mahdi et de Jamyl, mais personne ne se risqua à mettre un pied sur le terrain.

Midi sonna. On vit arriver des dizaines d'enfants de tous les environs. Certains venaient de beaucoup plus loin que la cité du 11-Décembre. Un garçon de douze ans, au pantalon déchiré, avait rameuté tous les gosses de Cheraga, commune collée à celle de Dely Brahim.

Tous le suivaient, l'air grave, un bâton à la main et un gros sac sur le dos. Puis vint une bande de filles qui tenaient des ballons de foot alors que des garçons les précédaient chargés de lourds sacs et de tentes. Il y eut aussi tous les enfants au grand complet du quartier du Bois des cars. Ils apportaient, en plus de sacs de couchage et de couvertures, quelques drapeaux algériens qu'ils plantèrent un peu partout. Une quarantaine d'enfants étaient désormais sur le terrain, installés sur la terre poussiéreuse, en cercle, autour de la tente, sous les yeux ébahis des adultes.

Mahdi, Inès et Jamyl racontèrent leur matinée passée à monter le minuscule campement, la peur d'être surpris, les chiens errants qu'ils entendaient aboyer au loin. L'excitation montait. C'était le début d'une drôle d'aventure.

Un garçon de Cheraga s'exclama :

— Vivement que les généraux reviennent, on va bien les recevoir ces deux-là !

Une fille à lunettes ajouta :

— Oh, c'est évident qu'ils vont venir. Il y aura bien un adulte un peu lâche pour les prévenir que des enfants occupent leur précieux terrain.

Inès acquiesça :

— C'est certain. On peut leur faire confiance pour avoir la trouille. Il suffit d'attendre. Gardez bien tous des pierres à portée de main.

Aux abords du terrain, les adultes continuaient à arriver. Il n'y avait que des hommes, en dehors de Yasmine et Adila. Ils parlaient entre eux, tenant à l'écart les deux femmes.

— Qu'est-ce qu'ils foutent tous ces mômes ?

— Apparemment, ils occupent le terrain.

— On fait quoi ?

— On les vire ?

— Comment ? Ils sont nombreux et le terrain n'est pas à nous.

— Tu as raison, mais on ne va pas se contenter de rester là à les regarder bêtement...

— Et où ont-ils trouvé autant de drapeaux ?

— Sérieusement, c'est ça qui t'interpelle ? On s'en fout.

— Pas moi.

— Ils vont nous causer des problèmes. Il faut vraiment que tout ça s'arrête.

— On fait quoi ?

— Moi je propose qu'on ne fasse rien.

— Tu crois ?

— Oui, laissons les généraux se débrouiller.

— Pas d'accord, y a mes gosses là-bas.

— Eh bien va les chercher alors, qu'est-ce que t'attends ? Si moi, ma fille était avec cette bande de vauriens, je n'hésiterais pas à y aller.

— Justement, je crois que je l'aperçois.

— Quoi ?

– Oui, là-bas, la petite avec le pantalon rouge, ce n'est pas ta fille ?

– Si… qu'est-ce qu'elle fiche là ? Je la croyais chez sa copine Nesrine.

– Oui, c'est la fille qui est à côté d'elle.

– Bon, on y va ou on n'y va pas ?

– Il est une heure passée, j'ai faim.

– Moi aussi, rentrons chez nous, ils finiront par revenir lorsqu'ils auront faim eux aussi ou froid, ou que ce sera l'heure de leur dessin animé préféré.

– Tu crois ?

– Je crois surtout que si les généraux arrivent et trouvent des enfants sur le terrain, c'est une chose, mais que s'ils arrivent et nous trouvent nous tous, ils vont croire que c'est une révolte. Il vaut mieux faire profil bas… Ils n'ont toujours pas retiré leur plainte.

– C'est vrai, ils vont croire qu'on manifeste contre eux. Rentrons chez nous.

Du côté des enfants, on sortait sandwichs et gourdes d'eau pour pique-niquer joyeusement.

Les adultes, planqués chez eux, ratèrent l'arrivée des généraux. Les deux hommes ne s'étaient pas dépêchés. Des mômes qui jouent, où est le problème ? C'est donc en fin d'après-midi que le chauffeur se gara sur le bas-côté et s'empressa d'ouvrir les portières. À la vue du véhicule, les quarante enfants se levèrent comme un seul homme. Avec leurs bâtons et leurs tas de pierres, les visages fermés, les yeux comme deux fentes, on aurait dit une minuscule armée.

Saïd était stupéfait. Athmane recula d'un pas lorsqu'il croisa le regard de Jamyl. Les deux généraux se demandaient qui pouvaient bien être tous ces enfants et pourquoi ils étaient là. Il y en avait de toutes les tailles. Des minuscules, des qui semblaient presque adolescents. Des petites filles en short. Des garçons en pantalon de jogging. Des bruns, des blonds, des roux. Derrière eux, Yasmine et Adila les observaient depuis le balcon de leur salon.

Pour se donner une contenance, Saïd alluma une cigarette. Au fond, sans vouloir l'admettre, il était légèrement effrayé. Les adultes, ça, il savait gérer. Même ses plus farouches ennemis ne lui faisaient pas peur. Et puis, il avait des dossiers sur tout le monde, il était toujours prêt à discuter, faire du chantage, rappeler les services rendus. Mais des enfants ? Qu'est-ce qu'on leur dit ? Comment on les fait déguerpir ?

Malgré la chaleur de ce mois de mars, le ciel était un peu voilé. Athmane espéra qu'un orage éclate là tout de suite maintenant et que les enfants courent se réfugier chez eux. Il commençait à être très agacé par toutes ces histoires. Quand Saïd lui avait parlé du terrain, il pensait faire une bonne affaire et rejoindre un quartier paisible entouré de militaires qui respectaient grade et hiérarchie.

Les deux hommes s'avancèrent, mais dès qu'ils mirent un pied sur le terrain de foot, des cris de colère s'élevèrent qui rapidement s'unifièrent en un seul slogan : « À bas les généraux ! À nous le terrain ! »

Ils les ignorèrent et continuèrent d'avancer. Saïd cria :

– Hé les gamins !

Il y eut un brouhaha pendant quelques minutes puis les enfants laissèrent passer Mahdi, Jamyl et Inès qui s'approchèrent.

– Oui ?

– Que se passe-t-il ? Qu'est-ce que vous faites ici ?

– On ne vous laissera pas prendre notre terrain ! cria Inès.

Athmane lui sourit :

– Voyons les enfants, il est à nous. On peut vous autoriser à jouer dessus encore quelques jours mais on commence les travaux dans une semaine et il faudra déguerpir.

Mahdi répondit :

– On n'en a pas besoin de votre autorisation monsieur ! C'est chez nous, ici !

Saïd ne put se contenir :

– Vous allez foutre le camp d'ici sales mômes. Je vais vous apprendre, moi, ce que c'est que la politesse.

Ce fut le début de la révolte. Les insultes plurent sur les généraux. Les quarante enfants firent étalage de leur savoir en termes de noms d'oiseau, de calembours, de petits bruits ironiques et de gestes grossiers.

Ils ne s'arrêtèrent que lorsqu'ils aperçurent la vieille édentée aux cheveux rouges tressés en couronne, la folle du quartier monter à son tour sur le terrain. Elle rejoignit les généraux et les attrapa tous les deux par la manche de leur veste :

— Votre excellence numéro un, votre excellence numéro deux, il y a un merveilleux terrain plus loin. Parfaitement, derrière le château d'eau. Cassez-le, ce château d'eau, et prenez tout !

Depuis sa fenêtre, Adila pouffait de rire. Yasmine, elle, tirait nerveusement sur sa cigarette en suivant Inès du regard. Furieux, les généraux hurlèrent à leur tour des insultes aux enfants en se dégageant de la folle aux cheveux rouge et menacèrent tout le monde d'un emprisonnement en maison de correction doublé d'une bonne raclée. Les enfants éclatèrent de rire et, bravache, Mahdi proposa :

— Venez nous la donner, la raclée, qu'on rigole peu.

De plus en plus énervés, les deux hommes, après avoir lancé encore quelques injures, demandèrent :

— Qui sont vos pères ? Où sont-ils ces lâches qui vous envoient à leur place ?

Les réponses fusèrent de toutes parts :

— Moi, à coup sûr, mon père est devant la télévision, ce gros fainéant, pendant que ma mère fait le ménage.

– Le mien doit être à la mosquée. Il a bien raison, il a beaucoup de choses à se faire pardonner.

– Le mien aussi est allé à la mosquée. C'est ce qu'il dit tous les vendredis mais en fait, il est au café !

– Le mien dort encore. Il a rien d'autre à faire, c'est mon grand-père qui paie tout.

– Mon père à moi, il est avec sa pute ! Oui, sa pute !

– Le mien, il nettoie sa voiture, il l'adore.

– Et moi, monsieur, et moi, mon père, il est aux toilettes. Il y passe des heures, si vous saviez ce qu'on en a marre.

– Le mien est allé acheter du pain. Il va sans doute en rapporter une tonne parce qu'il est parti il y a bien trois ans maintenant et on l'attend toujours.

– Nos pères ? Bah, qu'est-ce qu'on en a à foutre de savoir ce qu'ils font. Nous on est là, on n'a pas besoin d'eux !

Inès acquiesça et ajouta :

– Parfaitement, on est là et on a des choses à vous dire. Vous êtes prêts ?

Et ce fut de nouvelles injures :

– Voleurs de terrain !

– Tueurs de terrain !

– Salauds !

– Allez au diable !

– On est chez nous !

– Tueurs de jeux !

– Attention, prévint Mahdi, il y en a un qui sort son arme.

Les enfants ramassèrent des pierres et se préparèrent. Yasmine était prête à bondir mais sa mère la retint : « Attends, laisse faire. »

Les quarante enfants fixèrent en silence le général Saïd qui tenait son pistolet d'une main nerveuse. Plusieurs minutes passèrent. Un chien aboya au loin. Athmane finit par faire signe à son ami de baisser l'arme et de la ranger. À ce moment-là, une brique siffla au-dessus de leurs têtes, à laquelle s'ajoutèrent des ricanements et des dizaines de pierres.

C'était la guerre. Les enfants jetaient pierres et briques en visant bien la tête et les jambes. Les généraux se protégeaient comme ils pouvaient, attendant qu'il n'y ait plus de munitions mais la réserve de cailloux semblait inépuisable.

Dans la voiture, le chauffeur se cachait derrière le volant. Il avait peur qu'une brique vienne fracasser le parebrise et hésitait à démarrer. Il avait peur autant des enfants que des généraux.

Adila, elle, filmait toute la scène avec son téléphone, en essayant de ne pas trembler. Yasmine était partagée entre son inquiétude pour Inès et le plaisir de voir les deux généraux ainsi maltraités.

Les enfants se battaient avec rage, le visage tendu, les lèvres serrées. Ils étaient rapides et précis dans leurs tirs. Sans en avoir l'air, ils avançaient, centimètre par centimètre. Les généraux finirent par reculer encore et encore jusqu'à atteindre le bord du terrain. Ils hésitèrent mais se résolurent à descendre, le bras toujours au-dessus de la tête pour se protéger. Ils rejoignirent en courant la voiture. Le chauffeur se dépêcha de démarrer pour quitter cet horrible endroit.

Sur le terrain, c'était l'euphorie. On célébrait la victoire. Les enfants se serraient dans les bras, se donnaient de grandes tapes dans le dos. Ils riaient aux éclats, désignaient la voiture qui s'éloignait, se jetaient par terre tant ils étaient excités. Et déjà, ils refaisaient le match, sans s'écouter, parlant tous en même temps :

— Tu as vu leur tête !

— Et quand l'autre a sorti son arme !

— Tu crois qu'il aurait été capable de tirer ?

— Non ! Sur des enfants, tu es fou ? C'était juste pour nous faire peur.

— Eh ben, on n'a pas eu peur et on n'aura plus jamais peur !

— Et le chauffeur, dans la voiture, l'air qu'il avait !

— Je suis certaine qu'il a fait dans son pantalon lui !

— Le trouillard !

Depuis sa fenêtre, Adila applaudit longuement les enfants.

Il n'y eut pas de blessés. Mais quarante enfants avaient humilié deux généraux et ça ne pouvait que mal se terminer.

21

Une dizaine d'enfants disputaient un match de football pendant que d'autres devisaient gaiement et que d'autres encore ramassaient les pierres et les rassemblaient dans un coin.

– Vous croyez qu'ils vont revenir ? demanda Jamyl.

Mahdi se retourna vers lui et dit :

– Qu'ils reviennent, ils verront !

– Je pense qu'on peut être tranquilles. Ils ne vont pas prendre le risque de se faire humilier de nouveau ! Pas après ce qu'on leur a mis, assura Inès.

Le soleil allait bientôt se coucher. Mahdi tentait de marquer contre Inès qui tenait les buts lorsqu'il aperçut sa mère qui arrivait à grandes enjambées. Chose étrange, elle n'avait pas enlevé sa tenue militaire. Elle hésita à monter sur le terrain mais s'arrêta finalement au bord et cria :

— Comment as-tu osé Mahdi ? Je ne t'ai pas élevé comme ça !

— Je n'ai rien fait de mal !

— Partir sans prévenir ? Comment as-tu fait pour ouvrir la porte ?

— J'ai pris la clé, je l'ai mise dans la serrure et j'ai tourné, c'est tout.

— Je cache la clé !

— Oui, dans le deuxième tiroir du meuble de la télévision, sous le petit coran qui appartenait à grand-mère.

— Mais… tu le savais ?

— Bien sûr, je t'ai vue le faire plein de fois.

— Petit fouineur ! Tu devrais avoir honte. Ton pauvre père, je n'ai rien osé lui dire ! Il pourrait faire une attaque. C'est ça que tu veux ?

— Papa ne fera pas une attaque. Il se servira un verre et puis voilà.

— Chut ! Ne parle pas de ça ici, tu es devenu fou ? Je t'ai déjà expliqué qu'il ne fallait jamais parler des bouteilles de ton père.

— Honnêtement maman, tout le monde s'en fiche bien des bouteilles de mon père.

La mère de Mahdi se mit à hurler sur son fils qui restait impassible. Elle se lamentait, invoquait le ciel, et finit, en dernier recours, par supplier.

— Mahdi, mon fils, ton père est malade et je suis si fatiguée. Ce n'est pas facile pour nous tu sais. Allez, rentre avec moi, je t'en prie, viens. Réfléchis, regarde ce que tu nous fais. Je suis avant tout une militaire, je dois rendre des comptes. Je ne peux pas avoir un enfant qui jette des pierres sur un général…

Mahdi la coupa :

— Maman, j'ai des responsabilités à l'égard de tous les enfants que tu vois ici. Nous allons nous battre jusqu'au bout. C'est important pour nous. Tu ne peux pas comprendre mais si tu ne respectes pas ça, je préfère ne plus te voir le temps que ça prendra de faire partir pour de bon ces généraux. Et si vraiment, je te cause des problèmes, tu n'as qu'à dire que je ne suis pas ton fils, ça ne me dérange pas. Tu ferais mieux de rentrer à la maison et de t'occuper de papa. Laisse-moi.

De l'autre côté du terrain, Jamyl se tenait tête baissée devant sa grand-mère. Elle lui avait fait signe et il s'était approché jusqu'au bord, en gardant tout de même une distance « de sécurité » pour qu'elle ne puisse pas l'attraper et le traîner de force jusqu'à la maison. Elle en aurait été capable et avait une sacrée poigne pour une vieille dame.

Elle lui dit, les sourcils levés, le ton ironique :

— Les voisins m'ont appris que mon petit-fils faisait la révolution. J'ai eu envie de venir voir cela de mes propres yeux.

En temps normal, Jamyl se serait confondu en excuses, aurait bredouillé et même pleuré, mais il savait que derrière lui se tenaient des tas de mômes qui comptaient sur lui, et même s'il gardait la tête baissée, il n'avait pas peur, il se sentait joyeux et étrangement léger. Cette pensée l'amusa et il esquissa un petit sourire qui déclencha la colère de sa grand-mère :

— Ne sois pas insolent !

— Mais grand-mère, je n'ai rien dit.

— Tu sais très bien ce que je veux dire. Petit ingrat. Après tout ce qu'on a fait pour toi !

— Ça n'a rien à voir avec grand-père et toi.

— Tu nous fais honte. Ton grand-père n'osera plus jamais relever la tête. Plus jamais il ne pourra aller prendre son café au Cercle de l'armée ! Tu as gâché sa vie. Il est dans sa chambre, enfermé. Tu te rends compte au moins de ce que ton petit jeu risque de causes comme problèmes et comme souffrance ?

— Ce n'est pas un petit jeu, c'est notre terrain !

— Et tous ces enfants, qui sont-ils ?

— Des copains…

— Ils viennent d'où ?

— Ce sont nos amis. Ils habitent tous dans le coin ou pas loin.

— Mais qui sont leurs parents ? Ils font quoi ?

— Je n'en sais rien ! On s'en fiche ! Tous les enfants sont les bienvenus ici…

La grand-mère grommela :

— Vous allez recevoir une sacrée raclée et ce sera bien fait pour vous. J'espère que vous aurez les fesses bien rouges et que vous ne pourrez pas vous asseoir pendant des semaines.

22

À 19 heures, pendant que l'Algérie tout entière apprenait ce qui était arrivé aux deux généraux, Youcef dînait avec ses parents dans un silence glacial. Sa petite sœur se trouvait sur le terrain et sa chaise vide était comme un pied de nez au père.

La mère était pâle, vêtue d'une robe de chambre aux couleurs fanées, elle ne cessait de renifler sans oser rien dire. Elle n'avalait rien et se faisait le plus discrète possible par crainte d'agacer son mari. À la fin du repas, Mohamed alla fumer une cigarette dans le jardin. Assis sur les marches de l'escalier menant au jardin, il se connecta sur Facebook grâce à son nouveau smartphone. Lui et sa femme adoraient les réseaux sociaux. Ils partageaient sans arrêt des articles sans vérifier les sources et adoraient mettre en ligne des photos de leurs enfants même les plus intimes. Ainsi, tous les moments importants de leur fille, anniversaire, rentrée des classes, spectacle de fin d'année, étaient accessibles sur Internet.

Mohamed vit que des caricatures sur les généraux circulaient déjà sur plusieurs sites et que la vidéo postée par Adila avait été visionnée plus d'un millier de fois. Cela lui fit peur. Youcef, son fils, l'avait rejoint sur les marches. Il était également sur Facebook mais contrairement à son père, il se réjouissait de ce qu'il y voyait. La mère priait silencieusement à l'intérieur.

Youcef rangea son portable et annonça à son père :

— Je sors, bonne soirée.

Mohamed sursauta :

— Comment ça, tu sors ? Hors de question que tu mettes un pied dehors !

— Ma petite sœur de dix ans peut passer la nuit sur un terrain vague mais moi je dois rester sagement à la maison à me tourner les pouces ?

— Tu veux une raclée ? Tu veux me rendre fou c'est ça ? Vous voulez tous me rendre fou dans cette maison ?! Vous vous rendez compte de la situation dans laquelle vous vous mettez ta sœur et toi ?

Youcef répondit :

— Ça n'a rien à voir avec toi. Il faut vraiment que tu arrêtes de croire qu'on fait ça pour te causer du tort. Vous êtes tous paranoïaques !

— Qui ça, tous ?

– Toi, tes amis, les généraux, votre génération. Des paranoïaques ! Il y a des enfants de dix ans sur un terrain en train de jouer au football et vous êtes persuadés que c'est pour vous causer du tort.

– Tout ça c'est de ta faute et de celle de tes amis. Vous avez mis ces idées dans la tête des enfants.

– On n'a rien mis du tout dans leur tête. Ils se battent parce qu'ils en ont envie et ils ont bien raison.

Mohamed se leva, furieux, et cria :

– Ce sont des gamins, des enfants. Toi aussi ! Les généraux vont les faire dégager dès demain avec des bulldozers si besoin !

Youcef se leva également. Il était plus grand que son père et le regarda bien en face avant de lui lancer, sarcastique :

– Ce sont peut-être des enfants mais ils sont parvenus à humilier deux généraux et avant eux, personne, absolument personne n'avait réussi. Quoi qu'il se passe désormais, on n'oubliera pas qu'une poignée d'enfants a fait peur à deux grands généraux. Et dans dix ans, on en rira encore.

La mère, qui avait tout entendu de l'intérieur, sortit sur le pas de la porte et intervint :

– S'il te plaît Youcef, ne soit pas insolent avec ton père.

– Tous les combats ne méritent pas d'être menés Youcef. Et ce n'est pas ainsi qu'il faut lutter, avec des pierres sur un terrain vague… Allons !

– Alors, comment on lutte d'après toi papa ?

– On écrit dans la presse, on s'organise en partis, on crée des associations, on oblige le pouvoir en place à nous écouter… On ne se bat pas avec des méthodes de sauvages et surtout on n'entraîne pas des enfants avec soi. Vous êtes tous trop jeunes pour faire ça.

Youcef ne répondit pas. Il aurait pu dire à son père que sans doute lui était trop vieux mais il ne voulut pas le blesser.

23

On en était là. Les généraux s'étaient enfuis. La vidéo faisait le tour des réseaux sociaux. Les gamins s'installaient sur le terrain. Ils bavardaient gaiement, organisaient des tournois de football et ramassaient des cailloux. À la nuit tombée, ils sortirent des couvertures, des couettes et des matelas très fins qu'ils avaient dérobés chez eux. Mahdi organisa les tours de garde mais avant tout, les enfants se partagèrent les vivres. Ils avalèrent des œufs durs et des sandwichs au thon et au corneed-beef, en riant et en se racontant des histoires. Jamyl leur parla du château d'eau et tous frissonnèrent en silence. Les filles se rapprochèrent les unes des autres comme pour se protéger.

Enfin, ils s'allongèrent pour dormir, la tête pleine de rêves, le cœur gonflé d'espoir. Au loin, des adultes passaient, des membres de leur famille, des amis, des connaissances mais aucun n'osa se joindre à eux. Les enfants étaient comme protégés par un mur magique.

Maintenant qu'il faisait nuit noire et que seules les étoiles et la lune éclairaient les lieux, rendant les maisons autour presque invisibles, le terrain semblait encore plus grand. Ils pouvaient imaginer être très loin de la ville. Ils devinaient le gravier, quelques petits buissons çà et là, la terre, les mottes herbeuses, de grosses pierres grises. Ils distinguaient aussi les insectes qui volaient autour d'eux.

Inès, Jamyl et Mahdi contemplaient cet étrange campement, tous ces enfants allongés autour d'eux. Ils étaient fiers, un peu sonnés aussi. C'était eux qui avaient imaginé tout ça. Inès passa ses bras autour des épaules de ses amis et chuchota :

— On va y arriver !

Les garçons rirent. C'est vrai, ils allaient gagner !

— Au fait, qu'est-ce que ta mère t'a dit tout à l'heure ? demanda Jamyl à Mahdi.

— Oh les choses habituelles : je vais la tuer, je n'ai pas honte, blabla, et toi, ta grand-mère ?

— Pareil.

Les trois enfants firent le tour du campement, ramassèrent soigneusement les emballages et boîtes de conserve qu'ils jetèrent dans de grands sacs-poubelle puis se glissèrent dans leurs sacs de couchage. Ils étaient fébriles, excités par les événements de la journée, légèrement inquiets aussi. Que diraient leurs familles lorsqu'ils finiraient par rentrer ?

Quelques enfants étaient terrorisés. D'autres avaient du mal à s'endormir, par peur qu'un chien errant vienne les attaquer. D'autres étaient terrifiés par l'histoire du château d'eau hanté. Ils restaient allongés sur le dos, silencieux, le visage tourné vers le ciel. Quelques minutes ou quelques heures plus tard, ils n'auraient su dire, ils sombrèrent dans un sommeil fragile et agité.

Inès de son côté tendait l'oreille. Elle craignait que les généraux profitent de la nuit pour revenir en sournois ou faire intervenir un régiment entier pour les attraper et les jeter en prison. Elle pouvait être tranquille. Les généraux ne reviendraient pas.

24

Le lendemain de la bataille avec les enfants, le général Athmane se rendit au siège de la sécurité.

Son chauffeur sauta de la voiture et lui ouvrit la portière avec un grand sourire. Il espérait que les deux généraux ne lui en voulaient pas d'être resté dans le véhicule, la veille, et tentait de se faire pardonner en étant encore plus servile que d'habitude.

L'officier qui ouvrit la porte au général l'accompagna jusqu'au bureau du directeur de la sécurité et baissa la tête en signe de respect avant de se retirer. Les deux hommes se servirent un café, posèrent leurs téléphones portables sur la table et sortirent ensuite sur le balcon. Le directeur ferma la porte-fenêtre derrière lui et ils s'installèrent sur des chaises très confortables importées d'Espagne.

Le général Athmane se frotta les yeux. Depuis quelques jours, il était très fatigué.

– J'ai besoin d'aide. Une vidéo a été tournée où mon ami Saïd et moi sommes tournés en ridicule à cause d'un « chahut de gamins ». J'imagine que vous l'avez vue.

– Oui, mes hommes me l'ont montrée. Elle a beaucoup circulé cette nuit.

– Je veux savoir qui a filmé et qui a mis cette vidéo sur les réseaux sociaux en tout premier.

– Ça, nous le savons déjà. C'est madame Adila, la moudjahida. Elle habite juste en face de votre terrain, elle a dû vous filmer depuis sa maison.

Un pigeon lâcha une fiente aux pieds du général Athmane. Il prit cela comme un signe. Il avait hâte d'être à ce soir. Sa voyante devait venir. Tout semblait déréglé en ce moment. Il fallait qu'elle inspecte sa villa et qu'elle lui donne quelques conseils.

Il reprit d'une voix lasse :

– Qu'est-ce qu'on peut faire ?

Le directeur eut un sourire compatissant :

– On va faire comme d'habitude : création de milliers de faux comptes pour attaquer ceux qui diffusent, faire croire que c'est une fausse vidéo…

– Bien, bien… ensuite, que comptez-vous faire pour nous aider avec ces voyous ?

– Heu… vous parlez des enfants, mon général ?

– Oui…

– C'est-à-dire… Mon très cher ami, vous savez bien qu'on ne peut pas arrêter des enfants, tout comme on ne peut pas arrêter madame Adila, c'est une moudjahida très connue, très aimée, une vieille dame… Si on intervenait pour embarquer des mômes et une vieille dame qui a subi la torture des Français, qui a œuvré à l'indépendance du pays, les gens viendraient eux-mêmes arracher les portes des prisons pour les libérer. Et ils nous mettraient vous et moi dedans à leur place.

– Je n'y crois pas. Les Algériens font ce qu'on leur dit de faire et ils ne sortent plus dans la rue depuis bien longtemps. Ils ne s'intéressent qu'au cours de l'euro et à leurs réseaux sociaux. Laissez-leur Internet, ça suffira à les occuper.

– Mon ami, croyez-moi, je vous assure que ça serait une erreur. Nous ne pouvons pas arrêter des enfants de dix ans.

– Alors faites plus : gaz lacrymogène, pompe à eau, casseurs !

– Nous n'avons pas de casseurs de dix ans mon général et des casseurs adultes se remarqueraient facilement, ils ne pourraient pas se fondre dans la foule… Quant au gaz lacrymogène et à la pompe à eau sur des enfants, vous n'y pensez pas ? On finirait sur les chaînes de télé du monde entier.

– Et on ne peut pas agiter le spectre des islamistes ? Du terrorisme ?

– Auprès d'enfants, ça ne marchera pas. Est-ce qu'ils savent seulement ce que sont des islamistes ?

Il y eut un long silence. Le général Athmane reprit :

– Cette histoire commence à me fatiguer. Saïd a des problèmes avec son fils et ne peut m'aider. Vous êtes au courant de ce qui s'est passé ?

– Oui… une bien fâcheuse histoire. Ici, nous aurions pu évidemment gérer cette affaire en deux coups de fil mais en France, c'est plus long. Les journaux se sont bien évidemment déjà emparés de tout cela.

– Exactement. Saïd est à Paris aujourd'hui pour tenter de régler la situation.

– Il a raison, autant être sur place pour soutenir son fils.

– Nous devons donc régler la question du terrain sans lui. Il m'a donné carte blanche. Vous savez que j'aime beaucoup les enfants et que je ne souhaite pas qu'il y ait plus de problèmes qu'actuellement ?

– Oui…

– Alors, soyez créatifs. Nous avons besoin que le terrain soit libéré d'ici une semaine au maximum.

– Bien sûr, vous pouvez compter sur moi et mes équipes. Nous savons nous montrer adroits.

Le général parti, le directeur appela son assistant qui se précipita dans le bureau, la mine réjouie.

– Vous continuez la même stratégie sur les réseaux sociaux.

– Bien monsieur le directeur. Je m'occupe personnellement de superviser le travail des agents.

– Et aussi…

– Oui, monsieur le directeur ?

– Faites en sorte que le terrain soit libre d'ici une semaine.

– Bien monsieur le directeur.

– Avec doigté. Il s'agit d'enfants. Rien de précipité ou de stupide.

– Bien sûr monsieur le directeur. On adore tous les enfants, vous savez, même ceux qui sont mal élevés.

Le directeur esquissa un sourire et fit signe à son assistant qu'il pouvait disposer.

25

Agenouillé dans son bureau, Mohamed ajouta quelques *rakaat* supplémentaires à sa dernière prière de la journée. Il sentait qu'il avait besoin de prendre de l'avance avec le bon Dieu. Il avala une aspirine, se déshabilla dans la chambre et s'allongea auprès de sa femme qui vint se presser contre lui. Il ferma les yeux mais ne réussit pas à dormir. Il était énervé et un peu honteux de sa colère. La discussion avec Youcef l'avait agacé au plus haut point. Lui n'aurait jamais osé parler ainsi à son père. Son pauvre père. Qu'est-ce qu'il aurait pensé de l'état du pays? Il était mort le 27 décembre 1978, le même jour que Houari Boumediene. Mohamed, qui vouait une admiration sans borne à celui-ci, pleura les deux hommes à part égale avec l'impression de perdre ses deux pères en même temps. Deux jours plus tard, il s'était mêlé aux milliers d'Algériens et avait suivi la dépouille du président jusqu'au cimetière d'El Alia. Il avait à peine dix-huit ans. Des délégations du monde entier étaient venues assister aux obsèques. Il avait même réussi à apercevoir le boxeur Mohamed Ali arrivé avec les Américains et qui prenait le temps de discuter avec des jeunes dans le centre-ville.

Et puis, très vite la colère avait pris le pas sur la peine. Les discussions étaient enflammées. Cherif et lui passaient des soirées entières à se demander comment Boumediene était mort et ce qu'il aurait fait s'il avait pu continuer son combat pour l'Algérie, le panafricanisme et les pays du tiers-monde. Deux mois avant son décès, Houari Boumediene s'était envolé pour Moscou, accompagné de Mohamed Taleb Ibrahimi, compagnon d'armes, ministre et médecin. Il souffrait d'atroces migraines depuis son retour de Syrie où il avait pris part à une réunion de chefs d'État arabes. Mohamed, de son côté, veillait son père nuit et jour. Le pauvre homme agonisait. Les médecins avaient renoncé, on ne pouvait plus rien faire. La mort serait longue, douloureuse et inévitable.

Le 14 novembre, Boumediene revint à Alger, très faible et tomba dans le coma. À quelques mètres de sa chambre, des hommes s'activaient dans l'ombre pour préparer la succession. Le vendredi 24 novembre, le président sortit du coma avant d'y replonger quatre jours plus tard. *Il n'y a rien à faire*, dit le médecin.

L'oraison funèbre fut prononcée par le ministre des Affaires étrangères, un jeune homme de petite taille, aux yeux bleu acier : Abdelaziz Bouteflika. On le savait ambitieux, à l'affût, rêvant de devenir président. Il a tenté deux ans auparavant de convaincre le ministre de la Justice de créer un poste de vice-président qui serait élu en même temps que le président et qu'il aurait pu occuper. « On a beaucoup épilogué sur mes relations avec Bouteflika, a confié Houari Boumediene, juste avant sa mort. La vérité, c'est que Abdelaziz était un jeune homme inexpérimenté, qui avait besoin d'un mentor, j'ai joué ce rôle. Sans doute m'en veut-il de ne l'avoir pas désigné comme "prince héritier" ainsi qu'il le désirait. » Le poste ne sera pas créé et au jeune Bouteflika on préférera, comme troisième président de l'Algérie, Chadli Bendjedid.

De quoi est mort Boumediene ? Mohamed est persuadé qu'il a été empoisonné en Syrie par de jeunes officiers du Mossad qui auraient utilisé le flash d'un appareil photo pour lui inoculer un virus surpuissant. Pour Cherif, il s'agirait d'un empoisonnement au thallium commandité par les services secrets irakiens. Mais d'autres rumeurs encore ont circulé à l'époque comme celle de deux espions, un couple de faux Syriens, enseignants à Constantine qui auraient réussi à approcher le président pour l'empoisonner. Il y a bien aussi cette folle histoire de membres de l'OAS restés en Algérie qui auraient mis une balle dans la tête du président.

Dans son bureau, Mohamed a une photo de son père et une autre de Houari Boumediene. Parfois, lors de leurs balades, Mohamed et Cherif énumèrent tout ce que l'Algérie doit à ce grand président : il avait développé l'économie du pays, fit construire monuments, stades, universités. Il contribua à la scolarisation massive du pays, et donna à l'Algérie une place à l'échelle internationale en organisant le Sommet des pays non-alignés en pleine guerre froide et en portant la voix des pays sous-développés auprès de l'ONU où il défendit la nécessité d'établir un nouvel ordre économique mondial.

Aucun des deux hommes, jamais, n'évoque toutes les mesures prises par Boumediene pour brimer les libertés individuelles ou collectives. Aucun d'entre eux n'écorne l'image de ce président en admettant qu'il n'a pas été élu mais qu'il est arrivé au pouvoir par un coup d'État, que la démocratie n'existait pas et qu'en treize ans aucun journal privé, aucun parti politique ne reçut d'agrément. Ils ne parlent pas non plus des artistes exclus de tout programme d'aide de l'État dès lors qu'ils étaient opposés à sa politique.

À sa mort, Boumediene avait 698 dinars sur son compte en banque. Il ne possédait pas de patrimoine immobilier ou de compte en banque à l'étranger. Le père de Mohamed n'a jamais eu de compte en banque et ne laissa en héritage à ses enfants que ses gandouras, ses chéchias, sa vieille canne tordue, deux tapis de prière, son chapelet en pierres bleues et quelques pièces pour le café.

26

– Je vois… je vois… toujours cette couleur rouge qui s'agite devant mes yeux. Une tache rouge qui ne partira pas, jamais. Elle est là pour toujours.

– Qu'est-ce que ça signifie? demanda, vaguement irrité, le général Athmane à sa voyante.

– Que quelqu'un vous veut du mal. Que jusqu'à la fin de votre vie, cette personne sera là, tapie, prête à vous dépouiller. Méfiez-vous des femmes en rouge.

– Mon Dieu, mais on ne peut rien faire?

– Méfiez-vous des femmes rouges. C'est tout ce que vous pouvez faire.

– Y a-t-il des jours que je dois éviter?

– Oui. Tous les jours pairs sont des jours difficiles pour vous désormais.

– Pourquoi, désormais? Que s'est-il passé?

– Je l'ignore mon général. Je me contente de vous dire ce que les voix me confient.

— Tout ça, c'est à cause de ce satané terrain ! Je n'aurais jamais dû suivre Saïd sur ce coup !

— Je reviendrai dans quelques semaines pour vérifier si les choses ont changé.

— Oui, oui, surtout revenez vite me voir.

Le général Athmane raccompagna la voyante à la porte et sortit dans le jardin. Il appela Saïd au téléphone :

— Comment vas-tu mon ami ?

— Bien, bien…

— Et ton fils ?

— Ça va, il se repose. Le pauvre…

— Vous allez vous en sortir.

— Oui, l'ambassadeur nous aide beaucoup. On va régler ce malentendu au plus vite.

— Quand reviens-tu ?

— Demain, sans doute. Tout va bien ?

— Oui, tout va bien.

— À demain, mon ami.

— À demain.

Ce coup de fil avait agacé le général Saïd. Il n'aimait pas parler de ses affaires au téléphone et même s'il n'avait pas dit grand-chose, il regrettait d'avoir répondu. Il connaissait bien Athmane et savait que ce dernier était angoissé à cause du terrain. Il ne fallait pas. Saïd avait passé un coup de fil au directeur de la sécurité avant de prendre son avion pour Paris. Les choses allaient se régler.

Quant à son fils, cela demanderait plus de temps et de travail car les Français n'aimaient pas céder facilement, mais il arriverait à ses fins.

Le fils du général Saïd avait échangé plusieurs milliers d'euros au marché noir d'Alger. Il entreposa l'argent dans une valise et alla à Paris déposer la somme sur son compte muni d'un papier de la banque d'Algérie attestant que l'argent venait d'un compte courant en règle. Or certains de ces billets étaient faux.

On était au bord de l'incident diplomatique.

27

Lorsqu'il fut certain que son père s'était couché, Youcef sortit de la maison en douce. Il s'adossa à la porte de la maison de la vieille Adila et observa les petits qui préparaient le campement pour la nuit. Il alluma une cigarette. Il aurait voulu les rejoindre mais il sentait que s'il mettait un pied sur le terrain, les enfants se braqueraient. Ils ne faisaient plus confiance aux grands et lui était un « grand » sans l'être tout à fait vraiment.

Est-ce cela que son père ressentait au fond ? Cette frustration, cette jalousie ? Ne pas faire partie de la rébellion, avoir échoué à l'initier et constater que d'autres, des plus jeunes que soi, réussissent ? Au plus profond de lui, son père ne cherchait-il pas à empêcher les autres de vivre une aventure que lui et toute sa génération n'avaient jamais osé rêver ? Trop jeunes durant la guerre d'indépendance, déjà dans l'armée, déjà obligés de serrer les rangs pendant les manifestations d'octobre 88, trop jeunes pour faire partie de ceux qui ont gouverné ensuite, trop vieux aujourd'hui. Est-ce qu'au fond de lui, Mohamed ne se disait tout simplement pas « c'est notre tour » ?

Youcef ne s'attarda pas. Il voulait seulement vérifier que sa sœur allait bien. Il réussit à l'apercevoir. Elle dormait entre ses deux meilleures amies. Il se sentit rassuré et rentra chez lui.

Le lendemain matin, lorsqu'il descendit prendre son petit-déjeuner, il trouva sa mère en train de préparer des *baghrir*. Son père, lui, en était déjà à son deuxième café et lisait le journal, la mine soucieuse, les sourcils froncés. Youcef leur adressa à tous les deux un grand sourire, se servit en crêpes et remercia sa mère :

– C'est très bon maman, merci.

Mohamed lui fit remarquer :

– Tu n'en auras pas, des *baghrir*, en prison.

Youcef se contenta de hausser les épaules, ce qui agaça encore plus son père.

– Ne sois pas insolent !

– Je n'ai rien dit.

– Chut ! Tais-toi. Je veux que tu écrives une lettre aux généraux pour t'excuser.

– Hors de question que je fasse ça.

– Tu vas l'écrire, je te dis. J'ai rédigé un brouillon, il est sur la table du salon, tu vas le recopier et signer. Je

216

n'accepterai pas que mon fils soit traîné devant un tribunal.

– Je refuse de leur présenter des excuses. Ils nous ont attaqués. C'est fou que tu sois aussi peureux, toi qui passes ton temps à…

– À quoi ? moi qui passe mon temps à quoi ? À m'occuper de vous, à vous nourrir, à payer vos factures ?

– Ça n'a rien à voir. On va garder le terrain. Les enfants l'occupent, les généraux ne peuvent rien contre eux. Ils vont finir par abandonner et n'auront qu'à construire leurs grosses villas ailleurs.

– Oh, mon jeune fils qui m'explique comment des généraux vont se comporter.

– Je ne suis pas si jeune…

– Tes amis et toi n'êtes que des morveux ! Vous croyez que vous allez faire plier ainsi des hauts gradés ? Des hommes qui ont lutté contre des terroristes ? Qui tiennent tout le pays au creux de leur main ?

– Nous ne sommes pas des morveux et ta fille de dix ans est sur le terrain !

– Des morveux, je te dis ! Et elle autant que les autres. Une écervelée qui se fait manipuler.

– Manipuler par qui papa ? Ce sont des enfants. Qui a réussi à manipuler autant de gamins ?

– Tu verras que toute cette histoire se terminera mal.

Youcef s'obligea à ne pas répondre. Il voyait que sa mère était au bord des larmes. Il se réfugia dans sa chambre et alluma son ordinateur. Sur les réseaux sociaux, tout le monde partageait les vidéos des enfants sur le terrain. Certains appelaient à les rejoindre, à emmener les petits frères et les petites sœurs là-bas, à grossir la troupe des petits de Décembre. Il y en avait bien quelques-unes pour dire que c'était inadmissible, que le terrain était la propriété des généraux et qu'en l'occupant ainsi, les enfants étaient dans l'illégalité, mais personne ne semblait vraiment prendre en compte ces commentaires.

Mohamed de son côté rejoignit Cherif qui l'attendait au coin de la rue. Les deux hommes se saluèrent et marchèrent un moment en silence. Ils étaient perdus dans leurs pensées. Sans se concerter, ils contournèrent le terrain et s'éloignèrent de la cité du 11-Décembre. Ils passèrent devant la salle des fêtes qui était à l'entrée du lotissement et qui fut longtemps appelée « la villa rose » avant d'être repeinte. Pendant un temps, elle abrita un café-chicha à l'étage qui accueillait des couples dans une ambiance tamisée. La musique résonnait jusqu'au milieu de la nuit et des jeunes venaient de toute la commune pour danser et flirter. Certains habitants de la cité du 11-Décembre, désapprouvant l'ambiance qui y régnait, menèrent une cabale contre l'endroit, attaquèrent les clients, forçant le propriétaire à fermer.

Toujours perdus dans leurs pensées, Mohamed et Cherif ne faisaient pas attention aux dizaines de gamins qui arrivaient de partout et se dirigeaient vers le terrain.

Cherif se disait que les gens de sa génération avaient appris à fermer les yeux sur les petits arrangements entre amis et avaient renoncé depuis longtemps à leurs idéaux. « Qu'ai-je fait moi-même pour lutter ? se demandait-il. J'ai parlé avec d'autres personnes. J'ai rappelé le passé. J'ai parfois résisté, mollement certes mais tout de même. Je n'ai pas corrompu ou du moins j'ai tenté de ne pas le faire. » Mohamed quant à lui se disait, sans oser l'avouer : « Je n'ai jamais cru que le régime pouvait changer, je ne le crois toujours pas. Et ces enfants, ce qu'ils font m'exaspère, car ils prennent notre place. Nous ne pouvons pas lutter ainsi. Il faut se battre avec les mots, sans violence, changer en alternant de pouvoir, pas dans la confrontation. »

— Ah, Mohamed, mon ami, comment les choses vont-elles se terminer ? J'ai peur pour ces enfants.

— Moi aussi Cherif. Les généraux ne vont pas se laisser faire.

— Non, ils ne vont pas se laisser faire mais les gosses non plus ! Ils sont courageux et ils sont décidés à se battre pour une cause importante. Reconnais-le, ils ont mis notre génération hors jeu en quelques jours. Nous vivons dans la peur, pas eux.

– Est-ce qu'on avait peur ou est-ce seulement que nous n'avons pas eu notre chance ? Et est-ce vraiment une cause ? Ils se battent pour quoi au fond ? Ce terrain ne représente pour eux qu'un espace de jeux. Ils ne se battent pas pour la liberté, pour un changement profond du système et comment le pourraient-ils, ce sont des enfants !

– Je ne sais pas Mohamed. Ils luttent pour conserver quelque chose qui leur appartient et qu'on leur a enlevé d'une manière qu'ils jugent injuste. Ils se battent contre l'injustice, ça revient à ce que tu disais. La cause est grande même si l'élément déclencheur peut nous sembler ridicule à nous adultes. Au fond, on s'en fiche de ce terrain de football, ça ne changera rien pour nous. On se dit que les enfants trouveront autre chose à faire, mais eux refusent de céder. Et puis, regarde, ils ont réussi à rameuter des gamins de toute la commune, certains n'avaient parfois jamais mis les pieds sur ce terrain. Ils ont réussi à convaincre des fillettes de dix ans de venir lutter avec eux alors que la plupart d'entre elles n'ont jamais touché à un ballon. Tu sais, je suis passé devant le terrain ce matin, très tôt, et j'ai vu des garçons apprendre à des filles à tirer au but.

Mohamed était en colère mais tentait de ne pas le montrer. L'idée qu'une révolte organisée par des enfants de dix ans puisse survenir là, sous son nez, et réussir, le rendait hargneux. Il avait passé sa vie à être persuadé qu'on ne pouvait rien faire contre le pouvoir et que seuls des hommes avec une grande maturité, des hommes comme lui, qui connaissaient le système et qui n'avaient plus rien à perdre, pouvaient l'ébranler.

– Ils n'y arriveront pas.

– J'ai envie de croire que si.

– Non, ils ne réussiront pas à garder leur terrain.

– Tu penses que les généraux vont riposter ?

Mohamed acquiesça :

– Bien sûr, qu'est-ce que tu crois, Cherif ? Allons, mon ami, ne soyons pas naïfs ! Des morveux ne vont pas empêcher des généraux d'agir comme ils l'entendent. Les enfants peuvent crier des insultes jour et nuit. Ils peuvent jeter des pierres. Ils peuvent camper. Quand les généraux auront décidé de siffler la fin de la récréation, ça s'arrêtera et tout rentrera dans l'ordre.

– Pourtant, regarde. Ils ne sont pas là aujourd'hui.

– Ils seront là demain !

– Peut-être pas… Tu as vu ce qui est arrivé au fils du général Saïd ?

– Cette histoire de faux billets ?

– Oui.

– À mon avis, dans une semaine tout sera terminé. Le fils du général s'en sortira et aura même le droit à des excuses. Et les enfants rentreront chez eux.

– Mohamed, mon ami, tu as peur. Peur que les généraux renoncent, que le système s'écroule mais qu'ensuite ce ne soit pas toi, pas moi, pas notre génération qui soit aux manettes mais celle d'après, qu'une bande d'enfants, de gamins, de petits, réussissent là où nous avons échoué. Nous pensions qu'ils étaient trois. Les voilà une centaine et sur Internet, tout le monde appelle à les rejoindre.

– «Là où nous avons échoué»? Nous n'avons pas échoué. Qui a fait la guerre contre les terroristes? Qui a aidé à construire le pays? Qui, aujourd'hui, enseigne à des étudiants, les générations futures?

Cherif éclata de rire :

– Tu parles comme ceux qui ont fait la guerre d'indépendance et qui refusent d'admettre qu'il est temps de passer la main! Allons, je ne dis pas que nous n'avons rien fait, mais peut-être n'avons-nous été qu'un simple maillon entre deux grandes générations, que notre rôle aura été de remplir le blanc le temps que ceux d'après arrivent...

– Oh, tu me déprimes. Tu verras. Il suffit d'attendre.

Cherif sourit :

– Qui sait? On pourrait être surpris! Et est-ce que ça serait une si mauvaise chose?

28

Des dizaines d'enfants peuvent-ils lutter contre tout un système ?

L'histoire de leur révolte fit le tour du pays en quelques heures. Les Algérois commentaient les événements en jubilant. Il n'y avait pas un foyer, pas un jardin, pas une entreprise où l'on n'en parlait pas. On mimait les généraux qui se faisaient attaquer par des mômes sur leur propre terrain et qui s'enfuyaient sous les jets de pierres. Même dans les casernes, les soldats en parlaient matin et soir, en riant aux éclats, répétant à l'infini l'histoire, ajoutant des détails à des scènes auxquelles ils n'avaient pas assisté. On racontait des histoires folles : il se disait que les enfants avaient attaché les généraux à des arbres pendant des heures ou encore que les petits avaient kidnappé le chauffeur et le retenaient en otage. Dans les marchés, dans les rues, tout le monde s'esclaffait. L'euphorie ne retombait pas. Les moqueries avaient fait place à une douce joie. On se saluait avec entrain même lorsqu'on ne se connaissait pas. On se lançait des clins d'œil sans rien dire. Plus besoin. On savait.

Dès le lendemain, l'histoire dépassa les frontières et se transforma. Ainsi, les Marocains racontaient qu'une bande d'enfants avait fait fuir des émissaires du roi Mohammed VI dans le sud du pays. En Tunisie, c'était la même histoire mais avec des ministres sur un terrain situé à la frontière avec la Libye.

Personne ne pensait une seconde que les petits de Décembre, comme on les appelait désormais, pouvaient réellement vaincre les généraux. On ne gagne pas face à l'État. Personne non plus n'avait peur pour eux. Que pouvait-il leur arriver ? Ils étaient intouchables. La police n'arrêterait pas des tout-petits.

Des enfants de tous les coins de la ville venaient en renfort. Ils étaient à chaque fois accueillis par des exclamations, des hourras, des cris de victoire. Les visages souriants, les cheveux tout emmêlés, les genoux sales, les enfants disputaient des matchs à cinq, à dix, à vingt. Peu importait ! Que celui qui veut jouer rejoigne une équipe ! Les ballons rebondissaient dans tous les sens. Il fallait jouer, s'entraîner, marquer des buts, créer des équipes, apprendre à ceux qui ne connaissaient pas les règles du jeu. Les ballons ne devaient jamais s'arrêter de zigzaguer, de virevolter, de tourbillonner pour vaincre les généraux, pour les empêcher de croire que ce terrain était autre chose qu'un terrain de football.

Du covoiturage s'organisait depuis les banlieues les plus éloignées d'Alger pour rejoindre le terrain de Dely Brahim. Les adultes ne montaient toujours pas sur le terrain. Ils se contentaient de s'asseoir autour de cet hectare et demi. De très vieilles dames avaient également rejoint la cité on ne sut trop comment. Elles arrivaient avec des chaises pliantes et s'installaient au bord. Elles y passaient la journée entière. C'était un joyeux bazar. On apportait à manger, on chantait, on assistait aux matchs des enfants. Un groupe de musiciens improvisa un concert pour le plus grand bonheur de tous. Le fils du boucher y passait ses journées au grand dam de son père.

Très vite les petits de Décembre virent l'intérêt de tout ça. Ils demandèrent aux adultes des vivres et des cailloux qu'ils stockaient sur le terrain.

Mounira, la femme de ménage qui travaillait pour la famille de Jamyl, passait régulièrement voir les enfants. À chaque fois, Jamyl se jetait dans ses bras. Mounira était née et avait grandi dans une des cités populaires d'Alger construite par Pouillon. Elle vivait avec sa mère et ses trois sœurs dans un appartement humide, mal isolé, aux murs fissurés. Petite, elle jouait dehors avec des vêtements propres mais élimés que sa mère achetait dans les marchés de friperie. Son père était mort avant qu'elle ne termine le lycée, et très jeune, elle dut chercher du travail pour aider sa mère à boucler les fins de mois. Elle trouva des ménages à faire à Dely Brahim auprès de plusieurs familles et pour s'y rendre, elle devait changer trois fois de bus. La famille de Jamyl était sa préférée car elle adorait le petit garçon.

Mounira apportait aux enfants un grand couffin plein de plats qu'elle cuisinait pour eux. La première fois qu'elle vint, Jamyl lui demanda :

– C'est ma grand-mère qui t'envoie ?

– Non, non… et il vaut mieux ne rien lui dire.

Jamyl lui sourit. Elle lui fit un petit signe et s'enfuit.

Une fois les adultes rentrés chez eux, on organisait des veillées. On se racontait des histoires de fantômes. On refaisait les matchs disputés dans la journée et enfin on s'endormait, la tête pleine d'images. Parfois, la folle aux cheveux rouges rejoignait les enfants et dormait avec eux à même le sol.

Et dans la nuit noire, des parents passaient en catimini autour du terrain, veillant sur les enfants sans bruit, sans intrusion. Dans leur demi-sommeil, les gosses rêvaient de ballons, de filets de but, de cailloux qui pleuvaient sur les généraux. Ils entendaient des applaudissements, imaginaient des victoires.

29

– Général Athmane, vous savez que vous ne pouvez pas me faire venir deux fois dans le même mois…

– Oui, oui, mais…

– Pourtant, vous m'avez envoyé votre chauffeur et je n'avais pas d'autre choix que de me présenter à votre domicile, mais le don ne fonctionne pas ainsi.

Le général Athmane supplia la voyante :

– Je vous en prie, il doit être possible de faire quelque chose, non ? Mon ami Saïd n'est toujours pas rentré de Paris et ce fichu terrain m'empêche de dormir. Est-ce que j'ai bien fait de l'acheter ? Que dois-je faire ? Comment m'en sortir ? Est-ce que le directeur de la sécurité est bien de mon côté ou profite-t-il de toute cette histoire pour prendre l'avantage sur moi ?

– Bien, nous allons faire une consultation d'urgence. Je vais vous tirer les cartes. Veillez s'il vous plaît à ce qu'on ne soit pas dérangés.

Athmane soupira, soulagé, et se dépêcha d'aller verrouiller la porte. La voyante réajusta son voile sur sa tête et commença à déposer lentement les cartes sur le bureau.

– Vous allez être séparé d'une personne que vous aimez beaucoup. Vous voyez cette carte ? Séparation. Aucun doute. Ce ne sera pas douloureux, ni un décès, ni un accident mais un départ. Vous devrez l'accepter. Ah, intéressant. Vous voyez ? Non. La femme rouge, elle est toujours là. Elle ne partira jamais. Je la vois errer autour de vous à chaque étape de votre vie. Vous ne pourrez pas vous en débarrasser. Hum… c'est étrange… mais oui, en effet, c'est la dernière personne que vous verrez avant de mourir.

– Mourir ? Je vais mourir ?

– Non, pas tout de suite, pas d'inquiétude… Votre ligne est encore longue mais cette femme rouge vous suivra jusqu'à la fin. Une autre carte. Bien. Vous avez une aiguille dans le dos. C'est cette histoire de terrain ? Bien. Vous avez fait le nécessaire, je le vois. Vous devez désormais arracher l'aiguille avant qu'elle n'empoisonne tout votre corps.

– Ça veut dire que je dois virer les mômes ? Saïd et le directeur de la sécurité me conseillent de ne rien faire pour le moment…

– L'aiguille est là dans votre dos, bien plantée. Il faut agir avant qu'elle ne vous paralyse pour de bon. La dernière carte. Un orage. Faites attention au ciel et à l'explosion. Voilà. Ce sera tout.

– Merci, merci.

Le général Athmane sortit une liasse de billets de sa poche qu'il tendit à la voyante. Cette dernière fit mine de refuser mais finit par les prendre, l'œil brillant.

– Mon chauffeur va vous raccompagner. Merci encore.

30

Toute l'Algérie est en ébullition. On cherche d'autres terrains à occuper. Les jeunes comme les adultes alimentent sans cesse les réseaux sociaux. Le directeur de la sécurité est débordé. Ses agents sont dépassés. Ils n'ont plus le temps d'espionner tous les comptes Facebook. On envisage de suspendre Internet quelques heures pour leur offrir du répit. On l'envisage seulement car à chaque fois qu'on l'a fait par le passé, la réaction des Algériens a été très violente.

Quelques enfants qui s'insurgent et voici tout le système qui se dérègle. Si des gamins peuvent empêcher les plans de deux généraux parmi les plus influents du pays, pourquoi des adultes ne pourraient-ils pas renverser tout un régime ? Le directeur de la sécurité en est certain, si on n'agit pas au plus vite, tout le pays va se soulever comme un seul homme.

Bien sûr, les médias couvrent l'événement. Tout le monde a pris en affection les petits de Décembre. Un journaliste écrit : « Nos enfants ont lancé une magnifique révolution ! Saurons-nous être à la hauteur de ces grands petits ? » Sur les réseaux sociaux, une pétition circule : « Oui à la préservation du terrain de Dely Brahim en terrain de football. »

Adila passe régulièrement voir les enfants. Elle est la seule à oser pénétrer sur le terrain. Elle les encourage :

– Vous êtes l'avenir de ce pays ! Je suis très fière de vous. Ne lâchez rien, surtout ! Je vous soutiens !

De très vieux messieurs pleurent en regardant les enfants disputer des matchs. Les adolescents les applaudissent en criant : « One, two, three, viva l'Algérie ! » Les femmes poussent des youyous au grand dam des petits qui sursautent, perdant plus d'une fois une occasion de marquer ou de tirer.

Les enfants jouent au football du matin au soir. Le terrain a été délimité de manière à dégager une partie pour les tournois, une autre pour les vivres, les pierres et le couchage. Ils sont tellement nombreux désormais qu'il faut faire attention à ne pas jeter les ballons sur les uns et les autres.

Depuis le balcon du salon, Yasmine surveille sa fille. Elle l'aperçoit toujours joyeuse, un ballon au pied.

Chaque midi, une camionnette se gare à Dely Brahim pour livrer sandwichs, biscuits, bouteilles d'eau et fruits.

Il paraît qu'un grand homme d'affaires algérien a payé pour faire en sorte qu'on ravitaille tous les jours les enfants.

Un vendredi, un imam fut envoyé par le directeur de la sécurité pour tenter de raisonner les enfants. Ses cheveux sont teints en noir et cela se voit. Sa barbe est longue mais semble avoir été huilée pour paraître plus lisse. Il a une grosse bosse sur le front qui le défigure. Il hésite avant d'entrer sur le terrain, touche la terre du bout de ses chaussures, vérifie que c'est bien sec. Les enfants se sont figés. L'imam les interpelle :

– Mes enfants, nous devons parler de ce que vous êtes en train de faire. Je suis certain que vous n'y êtes pour rien et que d'autres, des personnes plus âgées à l'âme corrompue vous poussent à vous révolter contre l'ordre établi et à vivre ainsi, comme des animaux, sur cette terre qui ne vous appartient pas. Sachez que Dieu…

Il n'a pas le temps de finir sa phrase que les enfants le criblent de cailloux. En voulant s'enfuir, il se prend les pieds dans sa gandoura, trébuche et tombe, s'étalant de tout son long, face la première. Un grand fou rire l'accompagne pendant qu'il se relève.

31

Après l'imam, ce fut au tour du chef d'un parti politique de vouloir approcher les enfants. Cet ancien diplomate de soixante-dix ans arriva un matin dans sa grande voiture, accompagné de son directeur de campagne. À peine s'était-il garé que la folle aux cheveux rouges l'attrapait par le bras et lui demandait :

— Comment se fait-il que lorsqu'on coupe la tête à un poulet, il continue de courir et de caqueter ? Hein, comment est-ce possible ?

Le directeur de campagne tenta de l'éloigner mais elle s'accrochait à la manche de l'ancien diplomate :

— Qu'est-ce que c'est bête un poulet. On lui arrache la tête et il continue de croire qu'il peut faire illusion !

Embarrassé, l'homme lui sourit et réussit à dégager son bras. Il salua la foule massée autour du terrain comme s'il était en campagne, mais presque personne ne le connaissait et beaucoup furent agacés par son arrivée.

Il tenta de se faire prendre en photo avec un groupe d'étudiants en musique qui jouaient dans une fanfare, mais les musiciens se couvrirent le visage avec leurs instruments.

Il s'approcha du terrain. Les enfants, inquiets, ramassèrent des pierres et lui firent face.

Il ne se laissa pas démonter et les salua avec un sourire chaleureux :

— Bonjour les enfants, je suis un grand admirateur de votre mouvement. Je souhaite également protester contre ces généraux qui veulent vous prendre votre terrain. Moi-même, je lutte contre ce pouvoir !

Mahdi, soupçonneux, demanda :

— Qu'est-ce que vous nous voulez ?

— Est-ce que je peux vous rejoindre sur le terrain pour discuter avec vous ? Mon ami qui m'accompagne prendra quelques photos. On les diffusera partout, on va faire un sacré tapage médiatique, vous verrez, vous serez célèbres !

Les enfants répondirent en chœur :

— Non merci !

— Comment ça « non merci » ?

Inès expliqua :

— Nous ne sommes pas intéressés voilà tout. Nous ne voulons pas de vous sur notre terrain. Vous devriez reculer.

Agacé, l'ancien diplomate avança de plusieurs pas en marmonnant à son directeur de campagne : « Ce ne sont pas des gamins qui vont me dire ce que j'ai le droit de faire. »

Une pluie de pierres s'abattit sur eux, accompagnée de cris des enfants :

– Dégagez !

– On ne veut pas de vous ici !

– On ne vous connaît pas !

– Vous êtes tous pareils !

Les musiciens démarrèrent la fanfare. Saxophone, trompette, batterie et tambour accompagnèrent le départ des deux hommes au grand bonheur des enfants qui applaudirent longuement, et des vieilles dames qui relevèrent leurs jupes pour danser.

32

C'est Inès la première qui se réveille lorsqu'elle entend des cris. La folle aux cheveux rouges hurle : « Au feu ! Au feu ! » et tambourine aux portes des maisons. Inès hurle à son tour, réveillant les autres enfants qui se débarrassent au plus vite des couvertures et sacs de couchage, et se regroupent.

La nuit de mars, jusque-là noire, s'éclaire à la lueur de flammes qui semblent danser sur le terrain, encerclant les enfants, comme de petits diablotins rouges et orange. De minute en minute, l'air devient plus lourd. Les enfants toussent, pliés en deux, les yeux pleins de larmes. Ils peuvent entendre les adultes arriver, courir, crier. Ils ne sont qu'à quelques mètres mais ils leur semblent bien plus loin avec cette fumée de plus en plus épaisse qui les aveugle, les emprisonne sur le terrain.

Adila et Yasmine sortent en trombe. Cette dernière, le téléphone collé à l'oreille, attend que les pompiers lui répondent.

Les plus petits hurlent, les plus grands tentent de les protéger, de les prendre contre eux, mais tous suffoquent. Des enfants, en tentant de fuir loin des flammes, trébuchent, tombent sur d'autres gamins qui s'accrochent à tout ce qu'ils peuvent pour éviter de vaciller, entraînant à leur tour les copains qui essayent d'aider comme ils peuvent.

Adila monte la première sur le terrain. Elle rejoint les enfants sans se soucier des flammes et de l'odeur de roussi qui imprègne en quelques secondes ses cheveux. Elle relève les enfants, aidée de Yasmine, Mohamed, Cherif, Youcef et d'autres qui arrivent en courant. Les adultes encouragent les petits :

– Venez avec nous, ne vous inquiétez pas, c'est un petit feu !

Ils les entraînent loin des flammes et sans relâche font des allers-retours pour secourir tout le monde. Naïm, le père de Mahdi, monte sur le terrain avec son fauteuil roulant, une écharpe devant le visage, il traverse à son tour le feu. Sa femme hurle :

– N'y va pas ! Mahdi est ici, à l'abri, tu n'as pas besoin de risquer ta vie, on ne les connaît même pas ces mômes !

Mahdi, honteux, s'éloigne de sa mère.

La fumée est de plus en plus dense. Le feu avale tout ce qu'il trouve : les vieilles couvertures, les tentes, les sacs remplis de détritus, les ballons. Et les pompiers qui n'arrivent toujours pas. Adila dépose un tout-petit sur les genoux de Naïm. L'enfant se recroqueville contre lui. La folle aux cheveux rouges continue de hurler, en se tenant la tête. Les parents récupèrent des enfants, les leurs, ceux des autres, les serrent dans leurs bras.

On n'a plus la notion du temps. Seules quelques minutes passent mais Adila a l'impression qu'elle est dans cet incendie depuis des heures. Elle a de plus en plus de mal à respirer et sa vue est brouillée à cause de la fumée. Elle ne distingue plus les choses, les gens. C'est l'enfer ou du moins ça y ressemble. Les enfants toussent violemment, pliés en deux. Quelqu'un crie, un homme, une voix que personne ne reconnaîtra : « Attention, il y a quelqu'un qui tire avec un pistolet. »

C'est de nouveau la panique.

33

Les pompiers arrivent enfin. Ils maîtrisent l'incendie et emmènent Adila à l'hôpital. Yasmine l'accompagne. Les gendarmes eux aussi sont venus mais ils ne s'attardent pas. Il y a là celui qui avait interrogé Youcef, accompagné de son directeur qui conclut : « Ça a l'air accidentel. » Le gendarme s'étonne :

– On n'inspecte pas, chef ?

– Inspecter quoi ? C'est un terrain vague avec des mômes. L'un d'entre eux a sans doute dû jouer avec un briquet et voilà…

– Le feu était impressionnant, non ? Vous ne voulez pas que je regarde par où il a pris ?

– Tu es pompier ou gendarme ?

– Les deux à vrai dire chef, j'étais pompier volontaire à Constantine et…

– Et rien du tout. On rentre et tu indiqueras dans le

rapport « accident dû à la présence d'enfants et de briquets sur terrain vague ».

Le gendarme hésite mais ne dit rien et repart avec son directeur sous le regard lourd de reproches des petits.

Quelques filles pleurent en regardant le terrain à présent inondé. Un petit garçon de huit ans est figé, en état de choc, incapable de répondre aux questions de l'infirmier. Presque tous ont le visage noir de suie, des blessures aux bras, quelques brûlures superficielles aux jambes.

Jamyl, la jambe luisante de sang, refuse de bouger. Il tient la main d'Inès. La petite fille la lui serre très fort. Mahdi est là aussi. Ses parents sont rentrés ensemble, furieux l'un contre l'autre, laissant leur fils aux abords du terrain. Il a refusé de les suivre.

Les trois enfants tiennent un conciliabule entre eux un peu à l'écart des adultes qui les observent, inquiets :

Jamyl demande :

– Qu'est-ce qu'on fait ?

Mohamed intervient :

– Les enfants, il faut que vous rentriez vous reposer. C'est un miracle qu'il n'y ait ni blessé grave, ni mort. Rentrez dormir, le terrain ne va pas se volatiliser.

Inès secoue la tête :

– Nous ne pouvons pas partir. Il ne faut pas abandonner le terrain.

Mahdi approuve :

– En une nuit, un feu a saccagé les lieux. En une nuit, on peut tout perdre.

Mohamed insiste :

– Demain, c'est dans quelques heures, il ne va rien se passer d'ici là.

Inès n'est pas d'accord :

– Qu'est-ce que vous en savez ?

Personne ne répond. La grand-mère de Jamyl s'approche des enfants :

– Mes petits, vous avez été courageux mais vous voyez bien que vous ne pouvez pas rester ici. Le terrain a été inondé par les pompiers, vous êtes épuisés et peut-être même malades avec toute cette fumée. Tous les enfants sont rentrés chez eux, il ne reste que vous trois. Rentrez à la maison. Nous allons rester ici pour surveiller les lieux, personne ne s'en approchera. Demain, revenez, vous nous trouverez ici. Nous sommes plus vieux que vous, certes, mais encore capables de surveiller un terrain.

Les trois petits se regardent, hésitent quelques secondes. Ils sont épuisés. Ils rêvent d'un lit, de draps propres, d'une couverture. De silence. Ils se sondent du regard. Jamyl tient toujours la main d'Inès qui finit par répondre :

– Merci madame mais ce ne sera pas nécessaire. Nous allons rester. Nous n'avons pas peur de la boue, nous sommes habitués à vivre avec elle.

Les deux garçons approuvent de la tête en souriant.

La fin

Nous avons peu dormi. Deux ou trois heures, tout au plus. Nous étions épuisés pourtant. Nous nous sommes allongés sur des sacs de couchage trempés, collés les uns aux autres et avons sombré. Aucun d'entre nous n'a fait le moindre rêve ni le moindre cauchemar. Comment aurions-nous pu ? Rêve et cauchemar, nous avions tout vécu ces derniers jours.

Nous nous sommes réveillés en même temps à cause du bruit des bulldozers sur le terrain. Nous étions entourés d'ouvriers armés de pioches et de pelles. Les adultes n'étaient pas très loin. Il y avait une jolie lumière comme seul le printemps en a le secret. Les ouvriers nous ont souri. Un peu tristement. Personne ne nous a demandé de partir mais on s'activait autour de nous à détruire le terrain, à le préparer pour recevoir de grosses villas. Sur la route, une voiture noire, et adossés aux portières, les deux généraux. Ils nous ont fait un salut de la main.

Nous avons pleuré. De rage, non de tristesse. Sur ce terrain, entourés d'ouvriers, nous avons pleuré. Nous avons serré nos poings. Nous avons baissé la tête pour que les généraux ne voient pas nos larmes.

Les adultes ont fait semblant de ne s'apercevoir de rien. Un camion déversait du goudron chaud sur toutes les routes cabossées de la cité du 11-Décembre. On sentait l'odeur depuis le terrain. On voyait le goudron noir s'étaler, luire au soleil comme s'il contenait des milliers de paillettes.

Nous voici face aux machines et aux hommes. Nous ne sommes plus les petits. Nous ne serons jamais des grands. Nous restons là, refusant d'imaginer que dans quelques mois d'immenses villas aux fenêtres verrouillées par des barreaux, aux portes blindées, aux murs hérissés de fil barbelé, viendront remplacer notre terrain.

Nous ne partirons pas.

Ce printemps ne se transformera pas en une anecdote d'enfants que nous raconterons plus tard en riant.

Nous n'oublierons pas la lâcheté des grands.

Nous ne nous ferons pas gober par la ville blanche.

Nous n'abandonnerons jamais notre terrain aux mains de ces hommes.

Nous arracherons chaque brique qu'ils poseront et nous rendrons le terrain aux petits, leurs véritables propriétaires.

Nos pieds sont enfoncés dans la boue.

Nous ne bougerons pas.

Inès, Jamyl et Mahdi.

RÉALISATION : IGS-CP À L'ISLE-D'ESPAGNAC
ACHEVÉ D'IMPRIMER SUR ROTO-PAGE
PAR L'IMPRIMERIE FLOCH À MAYENNE (53)
DÉPÔT LÉGAL : AOÛT 2019. N° 143080 (94465)
Imprimé en France

DANS LA MÊME COLLECTION
(derniers ouvrages parus)

Alain Veinstein, *L'Introduction de la pelle*

Thierry Clermont, *San Michele*

Tiphaine Samoyault, *Roland Barthes*

Patrice Pluyette, *La Fourmi assassine*

Charly Delwart, *Chut*

François Chaslin, *Un Corbusier*

Julien Péluchon, *Kendokei*

Jean-Marie Gleize, *Le Livre des cabanes*

Roland Barthes, *Album. Inédits, correspondances et varia*

Christian Thorel, *Dans les ombres blanches*

Chantal Thomas, *Pour Roland Barthes*

Maryline Desbiolles, *Le Beau Temps*

Alain Mabanckou, *Petit Piment*

Roland Barthes, *L'Empire des signes* (rééd.)

Philippe Sollers, *L'Amitié de Roland Barthes*

Roland Barthes, *La Préparation du roman* (nouvelle édition)

Olivier Rolin, *À y regarder de près*

Charles Robinson, *Fabrication de la guerre civile*

Irène Fenoglio (dir. d'ouvrage), *Autour d'Émile Benveniste*

Alain Veinstein, *Venise, aller simple*

Xavier Girard, *Louise Bourgeois face à face*

Philippe Artières, *Au fond*

Les Rencontres de Chaminadour, *Deville & Cie*

Henri-Alexis Baatsch, *La Fin de la société carbonifère*

Jean-Christophe Bailly, Éric Poitevin, *Le Puits des oiseaux*

Gigi Riva, *Le Dernier Penalty*

Eric Hazan, *Une traversée de Paris*

Denis Roche, *La Disparition des lucioles* (rééd.)

Chloé Delaume, *Les Sorcières de la République*

Stéphane Audeguy, *Histoire du lion Personne*

Jacques Henric, *Boxe*

Roland Barthes, *Cy Twombly*

Michel Braudeau, *Place des Vosges*

Xabi Molia, *Les Premiers. Une histoire de super-héros français*

Julien Decoin, *Soudain le large*

Evguénia Iaroslavskaïa-Markon, *Révoltée* (traduit du russe par Valérie Kislov)

Amélie Lucas-Gary, *Vierge*

Alain Veinstein, *Papiers peints*

Sally Bonn, *Les Mots et les Œuvres*

Fabrice Gabriel, *Une nuit en Tunisie*

Patrick Deville, *Taba-Taba*

Chantal Thomas, *Souvenirs de la marée basse*

Stéphane Audeguy, *Une mère*

Marc Riboud, *La Jeune Fille à la fleur. Histoire d'une photographie*

Anne Carson, *Atelier Albertine. Un personnage de Proust* (traduit de l'américain par Claro)

Serge Toubiana, *Le Temps de voir*

Gabrielle Schaff, *Passé inaperçu*

Jean-Christophe Bailly, *Un arbre en mai*

Rinny Gremaud, *Un monde en toc*

Jean-Marie Gleize, *Trouver ici. Reliques & lisières*

Julien Péluchon, *Prends ma main Donald*

Marina Skalova, *Exploration du flux*

Alain Mabanckou, *Les cigognes sont immortelles*

Fanny Taillandier, *Par les écrans du monde*

Patrice Pluyette, *La Vallée des Dix Mille Fumées*

Jean-Christophe Bailly, *Saisir. Quatre aventures galloises*

Leonard Cohen, *The Flame* (traduit de l'américain par Nicolas Richard)

Alain Fleischer, *Le Récidiviste*

Antoine Volodine, *Frères sorcières*

Jean-Pierre Martin, *Real Book*

Claire Richard, *Les Chemins de désir*

Chloé Delaume, *Mes bien chères sœurs*

Chantal Thomas, *East Village Blues* (avec des photos d'Allen S. Weiss)

Julien Decoin, *Platines*

Patrick Deville, *Amazonia*